EXHORTATION A LA CHASTETÉ

ISBN : 2-204-02417-1
ISSN : 0750-1978

SOURCES CHRÉTIENNES

N° 319

TERTULLIEN

EXHORTATION
A LA CHASTETÉ

*INTRODUCTION, TEXTE CRITIQUE
ET COMMENTAIRE*

PAR

Claudio MORESCHINI
Professeur à l'Université de Pise

TRADUCTION

PAR

Jean-Claude FREDOUILLE
Professeur à l'Université de Lyon

*Publié avec le concours du
Centre National des Lettres*

LES ÉDITIONS DU CERF, 29, Bd de Latour-Maubourg
PARIS
1985

*La publication de cet ouvrage a été préparée
avec le concours de l'Institut des Sources Chrétiennes
(U.A. 993 du CNRS)*

Questo lavoro è stato il frutto della mia collaborazione con il Prof. Fredouille : questo non ha significato solo il suo sostegno scientifico, che è ben noto a tutti gli studiosi di Tertulliano, ma anche un costante aiuto per superare le difficoltà dovute alla distanza e alla lingua diversa. In questo compito faticoso, che si è protratto fino alle ultime battute, abbiamo avuto la pazienza e la disponibilità di Mme Rousseau, delle Sources Chrétiennes. All'uno e all'altra va il mio ringraziamento più sincero.

Claudio Moreschini

INTRODUCTION

Le « De exhortatione castitatis : » évolution ou confirmation ? Peu d'années après la publication de l'*Ad uxorem*, Tertullien revient sur le problème des secondes noces avec un nouveau traité, le *De exhortatione castitatis* ; il y expose les motifs qui contraignent le chrétien authentique à observer la continence. C'est là un témoignage de l'intérêt que notre auteur manifestait pour l'éthique conjugale, à l'intérieur du contexte plus vaste de la morale chrétienne. Cet intérêt de Tertullien pour un problème aussi strictement moral dépasse aussi les limites de son christianisme ; en effet, si d'un côté le chrétien doit se distinguer du païen, même en ce qui concerne un problème spécifique, concret, comme celui des secondes noces, d'un autre côté, il était inévitable que même le milieu chrétien subît quelque influence du climat spirituel et culturel dans lequel il vivait, de l'atmosphère confuse et contradictoire du paganisme, dans lequel à côté d'attitudes laxistes, à côté d'une pratique substantiellement coupée de tout idéalisme, subsistaient encore des tendances très marquées en faveur de l'ascèse et du renoncement à toute expérience sexuelle.

La rédaction de l'opuscule a lieu à une époque qui ne peut pas être définie avec exactitude, mais seulement de façon approximative, comme du reste cela se passe pour la plus grande partie des œuvres du grand Carthaginois. On a pensé à 204-207[1] ; W.P. Le Saint propose 204-212[2] ; J.-C. Fredouille 208-212[3] ; T.D. Barnes 208-209[4]. Manquent en effet des éléments décisifs pour parvenir à une datation plus précise : on peut seulement se fonder sur le fait, intrinsèque à l'œuvre, que le *De exhortatione castitatis* est d'inspiration montaniste, comme le démontre avec certitude la citation d'un oracle de la prophétesse Prisca, à laquelle est reconnue une autorité semblable à celle de l'Évangile (cf. 10,5). Or, l'adhésion au montanisme peut être datée des années 207-208, car le premier indice du montanisme de Tertullien se lit dans *Marc.* I, 29,4[5] et le premier livre de *Marc.* remonte à la 15e année du règne de Septime Sévère[6] ; on peut donc conclure avec vraisemblance que le *De exhortatione castitatis* parut à une époque postérieure à 207-208. Le *terminus ante quem* est probablement représenté par la persécution de Scapula qui est de 212 : sur ce point tous les savants sont d'accord ; la persécution de 212 n'est pas encore commencée lorsque Tertullien entreprend le *De exhortatione* ; peut-être cependant peut-on trouver dans le dernier chapitre de l'opuscule certaines remarques trahissant un sentiment d'insécurité et d'incertitude, qui pourraient laisser penser que la persécution n'est pas loin : Tertullien, en effet, exhorte expli-

---

1. Cf. O. BARDENHEWER, *Geschichte der altkirchlichen Literatur*, Freiburg II, 1914, p. 419.

2. Cf. *Tertullian, Treatises on Marriage and Remarriage...* Translated and annotated by W.P. LE SAINT, London 1951, p. 39.

3. Cf. J.-C. FREDOUILLE, *Tertullien et la conversion de la culture antique*, Paris 1972, p. 488.

4. Cf. T.D. BARNES, *Tertullian. A Historical and Literary Study*, Oxford 1971, p. 55.

5. Cf. *Marc.* I, 29,4 : *sed et si nubendi iam modus ponitur, quem quidem apud nos spiritalis ratio paracleto auctore defendit, unum in fide matrimonium praescribens...*

6. *Marc.* I, 15,1 : *at nunc quale est ut dominus anno quinto decimo Tiberii Caesaris reuelatus sit, substantia uero anno quinto decimo iam Seueri imperatoris nulla omnino comperta sit ?*

citement les chrétiens à ne pas se consacrer aux choses terrestres et à ne rien faire qui puisse contribuer à la richesse d'une cité, d'une cité dans laquelle vivront ceux qui jetteront les chrétiens en pâture aux bêtes sauvages. Toutefois, il ne faut pas exclure que l'atmosphère décrite par notre auteur peut très bien s'appliquer à n'importe quelle époque des II⁰ et III⁰ siècles après Jésus-Christ. De même, le ton relativement modéré, sensible dans toute l'œuvre, et l'absence de paroles offensantes dans les confrontations avec les catholiques (qui ne sont pas encore appelés avec mépris les « psychiques ») ont conduit à situer le *De exhortatione castitatis* dans une période de la vie de Tertullien qui, sans aucune justification scientifique en vérité, mais seulement par commodité pratique, a été définie comme « semi-montaniste »[7].

On peut se demander si, de l'*Ad uxorem* au *De exhortatione castitatis*, qui se présente comme un réexamen de la même problématique, on constate une véritable évolution ; ou, au contraire, s'il y a toujours entre la première et la deuxième œuvre un accord de vue substantiel en ce qui concerne les secondes noces, qui sont l'objet d'une nouvelle et plus pressante prohibition. C'est à cette deuxième interprétation que se sont ralliés récemment W.P. Le Saint[8] et J.-C. Fredouille[9], alors que selon d'autres savants[10] les deux œuvres reflètent une véritable évolution, qui conduit Tertul-

---

7. C'est pourquoi R. BRAUN (*Deus Christianorum. Étude sur le vocabulaire doctrinal de Tertullien*, Paris 1977², p. 572-575) parle très opportunément d'« œuvres composées sous l'influence du montanisme ».

8. Cf. *o.c.*, p. 39.

9. Cf. *o.c.*, p. 90.

10. Cf. P. MONCEAUX, *Histoire littéraire de l'Afrique chrétienne...* I, Paris 1901, p. 422 ; A. D'ALÈS, *La théologie de Tertullien*, Paris 1905, p. 468-469 ; H. KARPP, *Schrift und Geist bei Tertullian*, Gütersloh 1951, p. 14-15. Une information de caractère général est donnée par H. PREIS-KER, *Christentum und Ehe in den ersten drei Jahrhunderten*, Berlin 1927, p. 187-200, qui cependant doit être considéré comme dépassé après la publication de l'ouvrage de C. MUNIER (*SC* 273).

lien d'une stricte orthodoxie à un montanisme déclaré. En l'espèce, les secondes noces, d'abord tolérées deviennent ensuite vivement déconseillées[11]. L'évolution qui caractériserait le *De exhortatione* par rapport à l'*Ad uxorem* a été surtout soulignée par C. Rambaux[12] : celui-ci observe que, même s'il n'est pas certain que le moraliste soit parti d'un christianisme très orthodoxe, il est évident qu'il est passé d'une autorisation partielle à une prohibition absolue et explicite. Et il conclut : « L'évolution de la pensée est nette. »

Le problème cependant ne peut pas être résolu avec une telle netteté. D'un côté, il faut admettre qu'il serait étrange que Tertullien écrivît une seconde œuvre sur un thème déjà traité quelques années auparavant, s'il n'avait rien de nouveau à dire, mais qu'il voulût simplement répéter les points fondamentaux exposés dans la première. Le rapport entre le *De exhortatione castitatis* et l'*Ad uxorem* est analogue à celui qui existe entre l'opuscule dont nous nous occupons ici et le suivant, *De monogamia* : personne ne voudrait affirmer que le *De monogamia* répète simplement les arguments et les fondements doctrinaux du *De exhortatione castitatis*, même sous une forme différente. D'autre part, la prétendue évolution de Tertullien face au problème du mariage n'est pas différente de celle que l'on peut rencontrer dans d'autres œuvres de notre auteur : cela semble être une constante chez le Carthaginois, de revenir sur certains problèmes de morale, en les reprenant d'une manière en partie nouvelle, selon les circonstances spirituelles dans

---

11. Cf. *Vx.* I, 7,3 : « car bien que tu ne pèches pas en te remariant, cependant les épreuves de la chair suivront aussitôt, dit l'Écriture (cf. *I Cor.* 7,28)... » ; II, 1,3 : « en effet, plus sublime est l'idéal de la continence charnelle, servante du veuvage, plus excusable peut paraître qu'on ne réussisse pas à l'assumer... » (traduction de C. MUNIER, *SC* 273, p. 115).

12. Cf. C. RAMBAUX, « La composition et l'exégèse dans les deux lettres *Ad uxorem*, le *De exhortatione castitatis* et le *De monogamia*... » *REAug.* 22 (1976), p. 3-28 et 201-217, surtout p. 4-5.

lesquelles, d'une fois à l'autre, il se trouvait. L'évolution de la pensée de Tertullien concernant l'interdiction toujours plus déterminée des secondes noces est parallèle à celle que l'on observe du *De cultu feminarum* au *De uirginibus uelandis* ou du *De paenitentia* au *De pudicitia*. Chaque fois, le second traité, ouvertement et explicitement montaniste, représente un durcissement de la discipline, interdisant expressément et avec une extrême violence toute concession morale et tout laxisme. Mais qui pourrait nier que les germes de semblables interdictions, de telles duretés, n'étaient pas présents dans les premières œuvres, qui par leur contenu doctrinal sont communément considérées comme « catholiques » et « orthodoxes » ? Pareillement, toujours à propos du problème du mariage, la permission des secondes noces est accordée dans l'*Ad uxorem* tellement à contre cœur qu'elle équivaut, en substance, à un refus. Et c'est du reste la raison pour laquelle Tertullien a écrit l'*Ad uxorem* : déconseiller les secondes noces ; mais l'écrivain donne son conseil de telle manière qu'il apparaît proche d'une interdiction. C'est cette ambiguïté de ton, oscillant d'un pôle à l'autre, qui permet une interprétation plutôt qu'une autre, de la pensée de Tertullien : ambiguïté peut-être déjà relevée par ses contemporains, face auxquels l'écrivain dut se justifier d'avoir changé d'avis[13]. Ainsi le rigoureux réquisitoire du *De exhortatione* n'apparaît pas différent du conseil donné par l'*Ad uxorem*. Le montanisme n'a rien fait d'autre que de porter à ses conséquences extrêmes les exigences que Tertullien avait déjà exposées dans ses premières œuvres : mais il ne faut pas exclure (si nous pouvons avancer une hypothèse) qu'à l'intransigeance que l'écrivain manifeste dans ses œuvres de maturité, la pente naturelle de son esprit l'y aurait conduit de toute

---

13. *Pud.* 1,10 : *erit igitur et hic aduersus psychicos titulus, aduersus meae quoque sententiae retro penes illos societatem...*

manière, sans qu'il lui eût été nécessaire de se mettre à
l'écoute de la Nouvelle Prophétie.

En dehors de l'*Ad uxorem* du reste, Tertullien avait pris
des positions analogues. On lit par exemple dans l'*Aduersus
Marcionem* : « Le Christ stigmatisa sévèrement l'impiété
d'Hérode qui avait épousé une femme qui, pour se trouver
délaissée par la mort de son mari, ne l'était pas moins que si
elle avait été répudiée.[14] » Les propos de Tertullien sont sans
doute faux dans leurs conséquences : à savoir que la femme
abandonnée du fait du décès de son mari se trouve dans une situation équivalente à celle d'une femme abandonnée parce que répudiée par son mari et ils présentent toute l'« acuité » typique de
notre auteur ; il est certain cependant que dans l'*Aduersus Marcionem,* contemporain du *De exhortatione castitatis,* Tertullien
refuse les secondes noces, en les identifiant à l'adultère. Ce
passage que nous venons de citer demande à être approfondi,
parce qu'il nous conduit à considérer certains rapports qui
n'ont fait jusqu'à maintenant l'objet d'aucune étude. R.
Braun[15] a fait remarquer combien a été répandue et insistante
l'exigence d'encratisme sur la mentalité chrétienne des IIe et
IIIe siècles, à tel point que Tertullien, qui a cependant écrit
une œuvre très violente contre les marcionites, en arrive à se
trouver, une fois qu'il a adhéré à l'hérésie montaniste, beaucoup plus proche des marcionites que des psychiques. La
recherche exaspérée de l'ascèse conduit donc à des résultats
qu'on n'attendrait pas si l'on tenait compte seulement des
positions doctrinales aussi divergentes de Marcion et de
Tertullien. R. Braun observe en effet que, lorsque Tertullien

---

14. *Marc.* IV, 34,9 : *facta igitur mentione Iohannis dominus... illicito-
rum matrimoniorum et adulterii figuras iaculatus est in Herodem, adulte-
rum pronuntians etiam qui dimissam a uiro duxerit, quo magis impietatem
Herodis oneraret, qui non minus morte quam repudio dimissam a uiro
duxerat...*

15. Cf. R. BRAUN, « Tertullien et l'exégèse de *I Cor.* 7 », dans
Epektasis, Mélanges Daniélou, Paris 1972, p. 21-28.

examine, comme il le fait au cours de son cinquième livre contre Marcion, l'interprétation que l'hérétique a donnée de *I Cor.* 7 (qui est comme nous le verrons le texte fondamental sur lequel se fonde l'exégèse du Carthaginois dans le *De exhortatione castitatis*), sa démarche est embarrassée : notre auteur, en effet, voit que la continence marcionite n'est pas, somme toute, très différente de celle que lui-même veut imposer[16] : il est sans doute tout à fait probable que Marcion, pour défendre son ascèse, faisait référence — exactement comme Tertullien — à la distinction entre conseil et volonté chez saint Paul, comme nous le voyons expressément dans *I Cor.* 7,25 (la volonté authentique de l'Apôtre est exprimée en *I Cor.* 7,7)[17]. Et si Tertullien reprochait à Marcion d'être *constantior apostolo* (V, 7,6) parce qu'il voyait les excès d'une exégèse qui durcissait et dépassait la pensée de saint Paul en voulant aller très loin, la même critique pourrait bien être retournée contre Tertullien lui-même[18]. En outre, Tertullien définit le mariage comme une *species stupri* dans le *De exhortatione castitatis* (9,1-4), tout comme Marcion le condamne *spurcitiae nomine* (*Marc.* I, 29,2)[19] — même si la définition si violente et si peu chrétienne du *De exhortatione castitatis* exprime à notre avis l'opinion de Tertullien seulement de manière provisoire, sans correspondre à sa véritable conviction, tant il est vrai qu'elle n'est pas reprise dans le *De monogamia* : ce serait une conséquence extrême à laquelle Tertullien se serait rallié par amour de la polémique comme nous le verrons plus loin (p. 19). L'interprétation de *I Cor.* 7,5[20] est également significative : selon les marcionites,

---

16. Cf. *o.c.*, p. 22.

17. La différence entre les deux « avis » de l'Apôtre a été expliquée dans une perspective rhétorique et littéraire par J.-C. FREDOUILLE, *o.c.*, p. 114-116.

18. Cf. BRAUN, *o.c.*, p. 23-24.

19. Cf. BRAUN, *o.c.*, p. 26.

20. Cf. BRAUN, *o.c.*, p. 27.

ne peuvent être baptisés que ceux qui *inter se coniurauerint* contre le fruit du mariage (cf. *Marc.* IV,34,5 ; I, 29,1) : ceux-ci interpréteraient donc de manière encratiste la pensée de l'apôtre, que Tertullien au contraire interprète correctement dans *Vx.* I, 6,2. Dans le *De exhortatione castitatis,* en revanche (cf. 10,2), Tertullien interprète d'une façon analogue à celle des marcionites le verset paulinien comme s'il recommandait une abstention complète des rapports conjugaux[21].

Montanistes et catholiques face aux secondes noces   On est conduit à penser que l'évolution de Tertullien vers une ascèse toujours plus rigoureuse correspond à son attirance spirituelle toujours plus grande vers le montanisme. Et pourtant cela n'est pas nécessaire. Certes, on n'est pas étonné de trouver des professions d'encratisme dans la Nouvelle Prophétie. Tertullien lui-même exalte la virginité d'un certain Proculus qui appartenait à la communauté montaniste de Carthage et qui s'était distingué en battant en brèche les fantaisies des Valentiniens (cf. *Val.* 5,1). D'autres témoignages en ce sens ne manquent pas. Comme nous le savons par Eusèbe (*Hist. ecclés.* V, 18), Apollonius écrivit une œuvre contre les montanistes, expliquant entre autres (§ 2-3) que Montanus « a été celui qui a enseigné la dissolution du mariage » et, ajoutait-il, « nous sommes en mesure de montrer que ses prophétesses, dès l'instant où elles furent remplies de l'esprit, abandonnèrent leur mari. » Plus significative encore, parce que plus explicite et touchant directement au problème des secondes noces, est l'attestation d'Épiphane, *Panarion* 48, 9,7 : « Les Montanistes expulsent de leur communauté ceux qui se sont laissés contaminer par

---

21. Voir plus loin p. 39.

les secondes noces et ils s'efforcent de ne pas se laisser contaminer par elles. »

L'interdiction des secondes noces est donc clairement attestée de la part des montanistes : il ne fait pas de doute que Tertullien, en écrivant le *De exhortatione castitatis*, a voulu représenter l'encratisme de ses compagnons de foi, en se corrigeant lui-même et en corrigeant les concessions qu'il avait faites dans l'*Ad uxorem*. Mais de même que l'on a dit qu'il n'y avait pas de véritable évolution doctrinale de l'*Ad uxorem* au *De exhortatione castitatis*, de même on peut bien répéter (et ce ne sont pas des choses nouvelles) que de telles formes d'encratisme étaient actives et vivantes même dans les milieux qui n'avaient rien à faire avec le montanisme. L'affirmation d'Athénagoras (*Suppl.* 33,4-6), selon laquelle « les secondes noces sont un adultère décent » (εὐπρεπὴς μοιχεία) est bien connue. Et un peu plus loin, l'auteur utilise la citation de *Matth.* 19,9 (« quiconque renvoie sa femme et en épouse une autre commet l'adultère ») faisant allusion non pas à la répudiation, mais aux secondes noces : « et même si la femme est morte, celui qui se marie une deuxième fois est un adultère déguisé (μοιχός ... παρακεκαλυμμένος), parce qu'il viole l'œuvre de Dieu qui au commencement avait créé un seul homme et une seule femme[22] ». Avec une égale clarté Théophile d'Antioche (*Ad Autol.* III, 15), en décrivant la manière de vivre des chrétiens, observe que chez eux « est en vigueur l'ascèse de l'encratisme et se conserve pure la monogamie. » D'une manière plus détaillée, suivant sa manière de procéder, Clément d'Alexandrie (*Strom.* III, 12, 82,3) affirme : « Celui qui fut en même temps homme et Seigneur, en rénovant les choses anciennes, ne permit pas la polygamie qui était autrefois exigée par les circonstances lorsque

---

22. Cette interprétation se retrouve dans notre traité (5,15).

l'homme devait croître et se multiplier[23] ; il introduisit en effet la monogamie dans le dessein de procréer des enfants et de pourvoir au gouvernement de la maison pour lequel la femme lui fut donnée comme aide. Et si l'Apôtre permet les secondes noces à titre de « concession », à cause de l'intempérance et de l'ardeur de celui-ci, eh bien, cet homme non plus... n'atteint pas la perfection d'une conduite avec l'intensité totale voulue par l'évangile... »[24].

Ainsi donc, la Nouvelle Prophétie, si elle n'a rien enseigné de nouveau dans le domaine strictement théologique (comme Tertullien l'a lui-même souligné en *Virg.* 1,3-4 ; *Iei.* 1,3), dans le domaine de l'éthique et celui des secondes noces, elle n'a fait qu'accentuer des tendances ascétiques et rigoristes déjà attestées dans la communauté chrétienne. Le Paraclet est plutôt, *restituor* qu'*instituor* (cf. *Mon.* 4,1) ; il représente pour Tertullien le plus haut degré de révélation (cf. *Prax.* 2,1 ; 30,5). Les secondes noces sont exclues avec la même détermination qui impose les jeûnes répétés et prolongés et interdit la fuite en cas de persécution. Mais il est pareillement certain que pour aucun de ces problèmes Tertullien ne pouvait se référer à un passage néo-testamentaire qui lui fournirait l'autorité nécessaire, et c'est pourquoi il doit se fonder sur ses propres considérations qui, finalement, en arrivent à contredire de la manière la plus évidente l'esprit évangélique.

Nous pouvons donc conclure que le montanisme n'a pas

---

23. Cette interprétation est analogue à celle que Tertullien présente dans *De exhortatione castitatis*, chap. 6. Le Carthaginois ne connaissait certainement pas l'œuvre de Clément : très probablement, certaines idées étaient répandues dans le christianisme primitif et passaient d'un milieu à l'autre.

24. Cf. également sur le problème que nous avons ici rapidement traité, les observations judicieuses de C. MUNIER, *o.c.*, p. 15 s. Celui-ci observe que, déjà au second siècle de notre ère, se manifestent de fortes tendances ascétiques, s'opposant à celles de l'époque paléo-chrétienne.

modifié les idées de Tertullien[25] : l'*Ad uxorem* contient, au moins en germe, la majeure partie des arguments développés dans les traités suivants. Cependant, dans l'*Ad uxorem* il présentait la persistance dans le veuvage comme un état particulièrement utile à la vie morale plutôt que comme une obligation absolue. Une fois que Tertullien a adhéré à la doctrine phrygienne, il a changé le conseil en précepte, assimilant toute dérogation à un *stuprum*. « Le montanisme n'a donc fait que rendre ici sa pensée plus catégorique, et plus brutalement hautaine[26] ». L'évolution de Tertullien concernant le problème du mariage, si elle a existé, a été surtout une évolution de ton ; elle est donc plus ambiguë et moins facilement perceptible dans les détails, bien qu'elle soit sensible globalement. C'est à la recherche de ces points particuliers que seront consacrées les observations suivantes.

Le montanisme et le « De exhortatione castitatis » Avant tout, les éléments les moins discutables. Le *De exhortatione castitatis* atteste clairement l'adhésion de son auteur à la Nouvelle Prophétie grâce à une citation explicite (10,5) d'un oracle de Prisca, qui fut la compagne, avec Maximilla, de Montanus lui-même. Le Paraclet *euangelizatur per sanctam prophetidem Priscam* : une affirmation aussi inexacte a entraîné comme conséquence que

---

25. Justement, dans un travail déjà ancien, G. LUDWIG, *Tertullian's Ethik*, Leipzig 1885, p. 121-122, mettait en garde contre la tentation de dater de la période prémontaniste de Tertullien son attitude favorable au mariage, et de sa période montaniste sa condamnation du mariage, car, dit-il, « le caractère de Tertullien était porté aux extrémismes déjà avant l'adhésion au montanisme. »

26. Cf. P. DE LABRIOLLE, *La crise montaniste*, p. 393. Cependant, C. RAMBAUX dans une récente étude d'ensemble (*Tertullien face aux morales des trois premiers siècles*, Paris 1979, p. 238) expose sa propre interprétation suivant laquelle « nous devons parler ici de rupture plutôt que d'évolution ou de perfectionnement. »

tout l'oracle ainsi que les paroles qui l'introduisent ont été éliminés des manuscrits de l'un des deux rameaux de la tradition, celui qu'on appelle le *Corpus Cluniacense*, qui a été soumis à révision et adaptation probablement au XIe siècle. L'oracle de Prisca a un caractère moral et insiste sur la valeur et l'efficacité de la pureté (*purificantia*) en conformité avec les exigences ascétiques du mouvement montaniste[27].

Un autre thème montaniste présent dans cet opuscule pourrait être, comme l'a observé J.-C. Fredouille, l'opposition entre d'une part l'indulgence que Dieu a montrée à l'origine de l'humanité avec l'exhortation de *Gen.* 1,28 : *crescite et multiplicamini*, et d'autre part l'exigence, à la fin des temps (cf. *Cast.* 6,2), d'une plus grande ascèse en référence au conseil paulinien (*I Cor.* 7,29) : *reliquum est ut et qui habent uxores tamquam non habentes sint* (Vulgate). Cette façon d'opposer *I Cor.* 7,29 à *Gen.* 1,28, observe J.-C. Fredouille[28], se retrouve encore dans d'autres œuvres de la période montaniste, et précisément dans *Mon.* 7,3 et *Pud.* 16,19.

Revenons un instant sur l'attitude de Tertullien face aux premières et aux secondes noces. Dans un passage du *De exhortatione castitatis* (chap. 9,4), le mariage est assimilé à un *stuprum* et l'auteur affirme explicitement que cette condamnation des noces ne concerne pas seulement les secondes noces mais aussi les premières, parce qu'elles cons-

---

27. On peut lire d'autres oracles de Prisca dans ÉPIPHANE, *Panarion* 49,1,3 et dans Tertullien lui-même : *Res.* 11,2 (*carnes sunt et carnem oderunt*). Comme on le voit, ce dernier oracle lance également aux non montanistes l'accusation d'être des matérialistes (comme dans notre opuscule Prisca exalte les effets bénéfiques de la continence sexuelle) et des ennemis de la résurrection de la chair. L'argument de la résurrection de la chair n'a rien à voir avec le problème du *De exhortatione castitatis*, mais il ne serait pas difficile de défendre cette doctrine sur la base de l'oracle cité dans l'ouvrage que nous sommes en train d'examiner.

28. Cf. J.-C. FREDOUILLE, « *Aduersus Marcionem*, I, 29. Deux états de la rédaction du traité », *REAug* 13, 1967, p. 8, n. 36.

tituent autant que les secondes un *stuprum*. Jamais en effet comme dans cette argumentation Tertullien ne s'était montré d'une telle logique et d'une logique aussi peu chrétienne : une observation que l'on peut faire encore un peu plus loin dans l'opuscule (chap. 12,5) où il souligne, sans ménager ses mots, l'*importunitas liberorum*. Des affirmations de ce genre ne se trouvent qu'ici ; elles sont absentes même dans le *De monogamia*, qui par d'autres aspects est encore plus violent que le *De exhortatione castitatis*. En outre, la condamnation des noces en tant que telles contraste avec ce que Tertullien lui-même a dit à plusieurs reprises (cf. *Marc.* I, 29,1 s. ; IV, 34,4 s. ; V, 7,4-5 ; V, 15,3 ; *An.* 27,4 ; *Mon.* 1,1 ; 15,1)[29]. On ne peut pas exclure que cette affirmation soit simplement due à un entraînement verbal et polémique, uni à une bonne dose d'agressivité, notre auteur cherchant à avoir raison à tout prix. Cela pourrait être aussi, à titre d'hypothèse, une attitude extrémiste limitée au moment où notre auteur composait le *De exhortatione castitatis* : influencé par le montanisme, il aurait été conduit à faire siennes jusqu'aux conséquences les plus graves et les plus intolérantes de l'encratisme.

De l'« Ad uxorem » au « De exhortatione castitatis » On sait que les nombreux arguments et observations du premier traité ont été repris par le second. Mais s'agit-il d'un emprunt pur et simple, quasi mécanique ? ou bien Tertullien les a-t-il repensés ? Donnons d'abord un aperçu (que des recherches ultérieures pourront encore enrichir) de ces lieux parallèles.

---

29. « En attaquant les secondes noces — observe, déconcerté, A. d'ALÈS (*La Théologie de Tertullien*, Paris 1905, p. 469) — il a inconsidérément ébranlé le principe des premières, et plutôt que de reculer devant cette conséquence désastreuse, il a flétri comme une honte le sacrement dont autrefois il exaltait la sainteté. »

Ad uxorem I	De exhortatione castitatis
2,1 et 3,1	6,2-3 ; 5,1-4
3,3 s.	3,7 s.
3,4	4,2
3,5	3,1 s.
4,1 s.	12,1 s.
5,1 s.	12,3 s.
5,3	9,5
6,1-2	10,1 s.
6,3-5 ; 7,5	13
7,1	1,5
7,2	2,1
7,3	10,1
7,4	7,2
7,4	10,3
8,2	1,3
8,3	3,1 s.

Dans *Vx.* I, 2,1, nous lisons : « Certes, nous ne rejetons pas l'union de l'homme et de la femme : elle a été bénie par Dieu comme étant la pépinière du genre humain ; elle a été inscrite dans son dessein, pour peupler l'univers et remplir les siècles, et donc permise, mais une seule fois, cependant[30]. » L'analyse est reprise dans le *De exhortatione castitatis* 6,2-3, mais amplifiée par une réflexion de type historicisant, dérivée de la division des âges du monde selon la vision eschatologique du montanisme, analogue à celle qui a déjà été constatée plus haut à propos de l'opposition entre *Gen.* 1,28 et *I Cor.* 7,29. Pour confirmer cette nouvelle conception de l'histoire de l'humanité, Tertullien répète ce qu'il avait déjà dit dans *Marc.* I, 29,4 s. Quant à l'unicité des noces d'Adam et Ève, comme fondement de la monogamie, on comparera *Cast.* 5,4 : *de uno matrimonio censemur utrobique, et carnaliter in Adam et spiritaliter in Christo.*

---

30. Trad. C. Munier.

Vx. I, 2,2 : « Sans doute, chez nos ancêtres et précisément les patriarches, existait le droit non seulement de se marier, mais même de contracter plusieurs mariages à la fois ; en outre, ils avaient des concubines. Bien qu'il s'agisse là d'une allégorie de l'Église dans la synagogue... » Quelle est cette figure, cela n'est pas davantage expliqué : Tertullien se borne à rappeler que la Synagogue est une figure de l'Église (cf. *Gal.* 4,21-26), observe Munier, *ad loc.*[31] ; de toute manière la possibilité de toute interprétation figurée des secondes noces à partir de la révélation (seconde époque de l'humanité) est exclue explicitement dans *Cast.* 6,1 : *sane licebit (innumerum* — ou *in numerum* — *nubere) si qui adhuc typi alicuius futuri sacramenti supersunt, quod nuptiae tuae figurent...*

Vx. I, 3,1 : « ... ils rejettent aussi Celui qui emprunta à l'homme de quoi former la femme, puis réajusta dans l'ajustement du mariage les deux corps qu'il avait tirés d'une masse homogène. » C'est le même raisonnement dans *Cast.* 5,1 : *nam cum hominem figulasset eique parem necessariam prospexisset, unam de costis eius mutuatus unam illi feminam finxit...* Cependant l'argument ne remplit pas la même fonction dans les deux textes : dans l'*Ad uxorem*, il sert à défendre les noces contre leur condamnation par certains hérétiques ; dans le *De exhortatione castitatis*, il soutient la nécessité des noces uniques.

Vx. I, 3,2-4 : il vaut mieux se marier que de brûler. Tertullien passe d'un concept : préférer un plus grand bien (l'abstinence) à un bien moins grand (le mariage) — donc d'une évaluation positive des deux concepts —, au concept d'un moindre mal (*melius est nubere quam uri*), c'est-à-dire à une évaluation négative des secondes noces. « Mais combien vaut-il mieux ne pas se marier et ne point brûler ! » affirme-t-il au § 4, retournant les valeurs positives des

---

31. Cf. TERTULLIEN, *A son épouse*, p. 157-158.

secondes noces, en les assimilant à la fornication. Le même argument est utilisé dans le *De exhortatione castitatis*, 3,7-10, où cependant le raisonnement ne passe pas d'une appréciation positive à une appréciation négative sur les secondes noces, mais procède toujours d'un jugement négatif : il est absolument exclu qu'une chose soit bonne si elle ne l'est pas en soi, mais seulement de façon relative, c'est-à-dire par comparaison avec un autre mal (cf. du reste *Vx.* I, 3,4 : *quod permittitur bonum non est*).

Vx. I, 3,5 : « Ce n'est pas une raison pour les désirer, si certaines choses ne sont pas interdites — pourtant d'une certaine manière, elles sont frappées d'interdiction, puisque d'autres leur sont préférées : préférer ce qui est meilleur, c'est, en effet, condamner ce qui est moins bon —, une chose n'est pas bonne du fait qu'elle n'est pas mauvaise ; elle n'est pas non plus indemne de tout mal, du fait qu'elle ne cause pas de dommage. Mais une chose parfaitement bonne se distingue en ceci, que non seulement elle ne cause aucun dommage, mais de surcroît procure un avantage. Ainsi tu dois préférer ce qui procure un avantage plutôt que ce qui ne cause aucun dommage. » Ce long discours, utile pour comprendre l'intention de Tertullien de dévaluer toute forme de permission ou d'indulgence, apparaît encore amplifié dans *Cast.* 3,1-5, où est introduite la distinction entre l'*indulgentia* et la *pura uoluntas* de Dieu, entre sa *maior uoluntas* et sa *minor uoluntas*. Dans l'*Ad uxorem* le discours constitue seulement le commentaire de deux passages de saint Paul (*I Cor.* 7,6 et 7,9), tandis que dans le *De exhortatione castitatis* ceci est développé au point de devenir la première partie de l'ouvrage, comme l'observe C. Rambaux[32].

Plus longue est l'argumentation de *Vx.* I, 4,1-3 et 6-8 ; c'est là que s'alignent les excuses qu'apportent les tenants des

---

32. Cf. C. Rambaux, « La composition et l'exégèse »..., p. 208.

secondes noces : de telles excuses sont suggérées par la concupiscence de la chair et par la concupiscence du monde. Cet
argument est au contraire très abrégé dans le *De exhortatione
castitatis* (cf. 12,1), comme si Tertullien, par impatience, ne
voulait plus perdre de temps à justifier des idées sur l'ascé-
tisme qui lui semblent obvies. Le raisonnement se clôt sur un
exemple de chasteté (avoir avec soi une veuve) qu'il est
louable d'imiter : *Vx.* I, 4,3-5 = *Cast.* 12,2. Même l'argument
du désir d'avoir des enfants et une descendance, qui fait
partie du même ordre de pensée (celui de la justification des
secondes noces), se développe de manière semblable dans les
deux traités (cf. *Vx.* I, 5,1-3 = *Cast.* 12,3-6). Le passage du *De
exhortatione castitatis* est beaucoup plus vif et fait une description ironique, accompagnée d'amers sarcasmes, de la vie
de tous les jours, dont les mesquineries et les exigences nous
semblent inéluctables (cf. 12,6). L'argument final de *Vx.* I,
5,3-4 (*nubamus quotidie et nubentes a die illo timoris deprehendamur, ut Sodoma et Gomorra. Nam illic non utique
nuptias et mercimonia solummodo agebant, sed cum dicit :
nubebant et emebant* (*Lc* 17,27-28), *insigniora ipsa carnis et
saeculi uitia denotat...*) est placé dans le *De exhortatione
castitatis* dans un contexte différent qui est celui de la
condamnation du mariage comme tel, par son assimilation
substantielle au *stuprum*. En tout cas, dans la première œuvre
comme dans la seconde, la citation du passage de Luc est
sournoisement modifiée et utilisée pour confirmer la thèse à
laquelle tend Tertullien, ainsi que l'a observé C. Rambaux[33].
En ce qui concerne le passage du *De exhortatione castitatis*,
la citation de Luc est entrecoupée par l'insertion du « *Vae* »
adressé (selon *Matth.* 24,19) par le Christ aux femmes
enceintes et qui allaitent, mais dans ce contexte elle ne peut
pas être comprise autrement que comme une condamnation
des noces tout court...

---

33. Cf. *o.c.*, p. 20-21 et 213.

Vx. I, 6. Le chapitre (avec un appendice dans I, 7,5 où est examiné l'*exemplum* du Pontifex Maximus) est entièrement consacré aux *exempla* : d'abord, il est question de la continence chrétienne (I, 6,1-2), puis de la continence païenne. L'utilité des *exempla*, au plan de la parénèse, est reconnue aussi dans le *De exhortatione castitatis* (chap. 13) ; mais dans cette œuvre, avec une beaucoup plus grande sensibilité oratoire (le but de l'orateur est de *mouere*), les *exempla* sont reportés à la fin (Tertullien en fera autant dans le *De monogamia*). En outre, dans le *De exhortatione*, Tertullien inverse la succession des exemples : d'abord ceux de la continence païenne, puis ceux de la continence chrétienne, établissant ainsi un climax. Parmi les exemples de continence païenne manque, dans l'*Ad uxorem*, celui de Didon, qui au contraire apparaît dans le *De exhortatione*, selon la version locale de son histoire, favorable aux traditions africaines et donc plus adaptée à frapper (et à persuader) les lecteurs chrétiens de Carthage. Le *De exhortatione* ajoute encore le fameux exemple de Lucrèce. Les critiques de ceux qui soutiennent que la continence est chose difficile (*Vx.* I, 6,2) sont aussi reprises dans *Cast.* 13,4, comme l'observe C. Rambaux[34]. Le contenu de *Vx.* I, 7 a été démembré en plusieurs sections destinées à construire les noyaux essentiels des différentes parties du *De exhortatione castitatis*. La continence est *instrumentum aeternitatis*, lit-on dans *Vx.* I, 7,1, *ad sustinendam nouissime uoluntatem dei*, c'est-à-dire qu'il faut accepter la disparition d'un conjoint, car elle est une conséquence de la volonté de Dieu. Cette affirmation est le noyau de *Cast.* 1,5 : *modestia est enim ablatum non desiderare, et ablatum a Domino Deo, sine cuius uoluntate nec folium de arbore delabitur nec passer assis unius ad terram cadit* (l'allusion à *Matth.* 10,29 est évidente).

Toujours dans *Vx.* I, 7,2, la question : *quid tu restaures cui*

---

34. Cf. *o.c.*, p. 208.

finem Deus posuit ? est reprise dans *Cast.* 2,1 : *et ideo si nuptias sublatas restauremus, sine dubio contra uoluntatem Dei nitimur...*, et amplifiée par la discussion serrée sur la volonté de Dieu et le libre arbitre de l'homme. La liberté qui s'offre à l'homme après la perte du conjoint est reconsidérée dans *Cast.* 10,1, où il s'agit « de ne pas avoir à qui payer le dû et d'en être libéré ». La mort du conjoint est une occasion qui libère de la nécessité (*Vx.* I, 7,3), et si une telle occasion n'est pas *exoptatissima*, elle est cependant toujours *opportuna*, comme dit le *De exhortatione castitatis*, sans demi-mesure (10,1).

Suit donc l'affirmation qu'une preuve de la valeur de la continence est donnée par le fait que les digames ne peuvent accéder à l'ordre sacerdotal et que seules les *uniuirae* peuvent entrer dans l'ordre des veuves (*Vx.* I, 7,4). Le même argument est repris dans *Cast.* 7,1, mais le discours prend ensuite une autre direction et se fait lourd de conséquences sur le plan de la doctrine, en abordant le thème du sacerdoce des laïcs. Un petit noyau de *Vx.* I, 7,4 (*Aram enim Dei mundam proponi oportet. Tota illa Ecclesiae candida de sanctitate describitus*) est passé, dans un tout autre contexte, en *Cast.* 10,3 où il aide à choisir entre deux leçons opposées de la tradition manuscrite : *si spiritus reus apud se sit conscientiae erubescentis, quomodo audebit orationem deducere ad altare* [*ad altare NFXR : ab alia re qua A, ab alia rea Kroymann*].

D'autres fragments de discussion se trouvent plus loin. La supériorité de la veuve sur la vierge, parce que la continence de la première est plus difficile (*Vx.* I, 8, 2-3), est un motif qui est repris dans *Cast.* 1,5 (*secunda,* [*scil. uirginitas*], *uirtutis est, contemnere cuius uim optime noris* : cf. *Vx.* I, 8,2 : *gloriosior continentia quae ius suum sentit, quae quid uiderit nouit*) et 9,4.

Enfin, dans *Vx.* I, 8,3, on trouve brièvement ébauchée la distinction entre l'*indulgentia diuina* et l'*operatio nostra*, qui est reprise et développée dans *Cast.* 3,1 (lire en particulier 3,3 : *uult nos deus agere quaedam, placita sibi, in quibus non indulgentia patrocinatur, sed disciplina dominatur*).

Cette série de comparaisons nous autorise à conclure, nous semble-t-il, que le *De exhortatione castitatis*, pour ne rien dire de l'insertion d'éléments montanistes, n'a pas été une vaine répétition de l'*Ad uxorem*. Tout ce qui, de la première œuvre, est passé dans la seconde a été l'objet d'une nouvelle élaboration sur le plan du style et du contenu, qui par bien des aspects a donné une forme nouvelle aux raisonnements précédents. Se trouve donc confirmé sous un autre point de vue (celui de la différence entre les deux traités) ce que nous avions déjà ébauché plus haut : le *De exhortatione castitatis* ne s'oppose pas à l'*Ad uxorem* mais il représente un développement, inspiré de l'encratisme, d'idées déjà implicites dans l'*Ad uxorem* lui-même.

La doctrine du   Par rapport à l'*Ad uxorem*, le
« De exhortatione castitatis » *De exhortatione castitatis* est
                    caractérisé sans aucun doute,
par une plus grande solidité doctrinale. En ce sens, nouvelle est la distinction par laquelle, est défendue dès l'exorde la doctrine de la *castitas*, c'est-à-dire de la continence : c'est une subdivision qui ne correspond pas à d'autres distinctions qui étaient peut-être plus largement diffusées dans le christianisme antique, même si celle-ci a été indiquée en partie dès *Vx.* (cf. I, 8,2-3). Mais surtout ce qui est nouveau, c'est le lien établi entre la *castitas* humaine — c'est-à-dire la continence : 1) depuis la naissance ; 2) depuis le baptême, dans l'état de mariage (par un commun accord entre époux), ou dans le célibat ; 3) enfin (toujours depuis le baptême) dans l'état de solitude, lorsque pour une raison ou pour une autre le mariage a été rompu —, le lien établi, disions-nous, entre elle et la *castitas* du Christ, à l'*imago* duquel nous avons été créés et dont nous devons devenir la *similitudo*. Cette doctri-

ne de la *similitudo* du chrétien parfait avec le Christ dérive
probablement chez Tertullien d'Irénée (cf. *Adv. Haer.* V, 6,1
SC 153, p. 72) et elle était reprise dans d'autres milieux, comme
celui d'Alexandrie, suivant les caractères de l'ὁμοίωσις
θεῷ platonicienne. Chez Tertullien, elle est, tout compte
fait, très rare. Le chapitre 2 contient une longue discussion
sur la volonté de Dieu et le libre arbitre de l'homme. Elle
représente le passage de la thèse, de caractère général, à
l'hypothèse, c'est-à-dire le cas spécifique, comme l'observe
J.-C. Fredouille[35]. De même que serait licite l'objection
(nous ne savons pas si elle a été faite réellement à Tertullien)
suivant laquelle la mort du conjoint s'est produite, comme
il l'a soutenu lui-même, par la volonté de Dieu, de même le
serait l'objection selon laquelle les secondes noces auraient
lieu par la volonté de Dieu : aussi le Carthaginois estime-t-il
nécessaire d'éviter cette objection un peu trop simpliste, en
répliquant que, dans un tel cas, on rendrait Dieu responsable
de tout l'agir humain, et donc même du mal. Tertullien
affronte-t-il donc la problématique de l'*unde malum*, qui
était si vive en ces temps et que notre auteur avait déjà
abordée dans *Praes.* I, 7,5 et *Marc.* I, 2,2 ? Si Dieu veut
certaines choses et s'il en interdit d'autres, il place, devant
notre volonté et devant notre libre arbitre, le choix entre telle
ou telle chose, et un tel choix dépend exclusivement de nous.
On peut donc d'autant moins attribuer au diable la faute du
mal que nous commettons : le diable peut seulement tenter
notre volonté, mais la décision définitive reste dépendante de
nous-mêmes.

Cette discussion sur le libre arbitre humain reprend, sous
une forme plus brève et moins approfondie, une discussion
analogue que notre auteur avait dû affronter dans une polémique avec Marcion, qui avait attribué au Dieu créateur la

---

35. Cf. J.-C. FREDOUILLE, *Tertullien et la conversion de la culture
antique*, Paris 1972, p. 114.

faute de l'imperfection humaine dont le Christ du Dieu bon
était venu nous racheter. Contre Marcion encore Tertullien
avait donc dû défendre Dieu de toute accusation d'être la
cause du mal, comme ici dans le *De exhortatione castitatis*.
Mais on peut faire encore un autre pas en arrière. La discussion contenue dans l'*Aduersus Marcionem* (cf. II,5s.) était
déjà précédée de quelques allusions analogues dans l'*Aduersus Hermogenem* (chap. 10), où Tertullien, même si c'était à
des fins polémiques diverses (et précisément pour nier l'existence de la matière coéternelle à Dieu, comme source du mal
et comme unique justification possible de l'innocence de Dieu
face au mal), avait déjà fait comprendre que, par la suite, il
reviendrait sur le problème de l'origine du mal et de ses liens
avec le libre arbitre des hommes (cf. 10,2 : *dum alibi de mali
ratione distinguimus*[36]).

Si donc nous sommes doués de libre arbitre, nous devons
examiner avec attention quelle est la vraie volonté de Dieu
(3,1). Celle-ci se distingue de l'*indulgentia*, c'est-à-dire de ce
que Dieu ne fait que permettre, en considération de la personne à qui est accordée cette permission (3, 1-2). Il est clair que
la volonté véritable de Dieu représente son vouloir de manière plus explicite et plus complète que son indulgence, qui est
une *minor uoluntas*, par rapport à la *maior uoluntas* (3, 3-4) ;
et il est tout aussi clair que la *maior uoluntas* s'oppose à
l'autre et doit avoir le dessus. Il en découle donc qu'il faut
suivre la véritable volonté de Dieu[37] et qu'il faut voir si le
second mariage correspond à cette véritable volonté (3, 4-5).
Après avoir posé cette thèse, de caractère théologique et

36. Cf. ce que nous avons déjà observé ailleurs, « Temi e motivi della
polemica antimarcionita di Tertulliano », *Studi Classici e Orientali* XVII,
1968, p. 149-186, surtout p. 182.

37. C'est une interprétation de type stoïcien : en effet, selon le
stoïcisme, la tâche du sage est de se conformer à la raison qui se confond
avec la volonté de Dieu, comme l'observe J.-C. FREDOUILLE, *o.c.*, p. 114.

général, on passe à l'hypothèse, qui affronte la casuistique[38].
L'enseignement de l'Apôtre est clair : l'*indulgentia nuptiarum*
correspond à un conseil personnel, non à la volonté du
Seigneur ; dans *I Cor.* 7,10, l'Apôtre distingue bien entre
« conseil humain » et « volonté de Dieu », entre ses propres
paroles prononcées en tant qu'homme, et les paroles qui correspondent à ce qui lui dicte l'Esprit (3,6)[39]. On ajoute que la
fameuse sentence dont s'autorisent les partisans des secondes
noces (*melius est nubere quam uri*, cf. *I Cor.* 7,9), ne met pas
le second mariage dans la catégorie du bien réel (3,7), celui
qui est tel dans tous les cas et dans tous les sens, et pas
seulement s'il est comparé à un mal plus grand (3,8-10). Il
est vrai qu'à propos du second mariage, l'Apôtre a dit que si
l'on se remarie, on ne pèche pas (*I Cor.* 7,27-28) ; mais c'est
là encore un conseil et non un précepte (4,1-2) ; on ajoute en
outre qu'un tel conseil est ensuite annulé en substance par les
considérations que saint Paul lui-même propose à l'occasion
des difficultés et des contraintes de la vie conjugale (4,2-3)[40].
La même distinction entre conseil humain et précepte inspiré
par l'Esprit apparaît dans un autre passage de *I Cor.* 7,39-40,

---

38. Cf. J.-C. FREDOUILLE, *ibid.*

39. A ce propos, J.-C. FREDOUILLE (*o.c.*, p. 115) observe : « Il va sans
doute de soi qu'un chrétien doit préférer la volonté divine : mais pour des
Romains formés aux traditions de la rhétorique, la distinction entre
volonté divine et point de vue humain, et d'autre part, la prééminence
reconnue à la première, n'étaient pas sans analogie avec le critère de supériorité de la loi divine sur la loi humaine, appliqué précisément lorsque
deux textes paraissaient contradictoires ».

40. Cette interprétation, déjà présente dans *Vx.* I, 3,3 se retrouve aussi
en *Pud.* 16,21 : *sic et illam beatiorem discernit* (scl. *apostolus*) *quae
amisso uiro fidem ingressa amauerit occasionem uiduitatis. Sic haec
omnia continentiae consilia ut diuina commendat : « puto », inquit, « et
ego Spiritum Dei habeo »*. Comme le fait remarquer R. BRAUN (*o.c.*,
p. 26), l'extrémisme montaniste de l'interprétation de Tertullien en arrive
dans ce contexte au point que l'on ne parle plus de tolérer les noces, mais
de les pardonner, *indulget sane non adulteria, sed nuptias. Parcit sane
matrimoniis, non stupris* (16,23).

lorsque l'Apôtre dit que les secondes noces sont permises, pourvu qu'elles soient dans le Seigneur (4,4-6)[41].

Après l'examen du texte paulinien qui constitue la première partie de l'œuvre, Tertullien introduit d'autres considérations dérivées de l'interprétation de l'Écriture. L'origine même du genre humain prescrit, avec l'union monogamique d'Adam et d'Ève, les noces uniques (5,1-2), tout comme sur le plan spirituel nous avons eu au commencement les noces monogamiques du Christ et de l'Église, suivant l'interprétation bien connue de l'*Épître aux Éphésiens*, 5,25s. (cf. 5,3-4). Arrivé à ce point de la discussion, Tertullien doit affronter une série d'objections qui sont faites à sa thèse.

Cette seconde section qui occupe les chapitres 6-12, prend, comme l'a observé J.-C. Fredouille[42], le caractère d'une *altercatio*, du type de celles qui se présentent à plusieurs reprises dans les œuvres de Tertullien contre les hérétiques (cf. *Praes.* 18,2 ; *Marc.* I, 9,6) ou contre les psychiques (cf. *Iei.* 11,2). Cette structure du *De exhortatione castitatis* rend vraisemblable l'hypothèse que Tertullien avait voulu présenter dans son opuscule une discussion réelle, privée ou publique, qui aurait eu lieu avec les membres de la communauté carthaginoise. Nous serions alors très loin de la diatribe de type cynique qui a pour base une fiction.

On ne peut donc pas prendre comme exemple la polygamie des patriarches, ni se fonder sur les paroles adressées par Dieu à nos premiers parents (*Gen.* 1,28 : *crescite et multi-*

---

41. C'est donc une contradiction de type juridique et rhétorique (*status de scripto*) dont on peut lire un autre exemple dans *Marc.* IV, 12,5-7, comme l'observe J.-C. FREDOUILLE (*o.c.*, p. 115, n. 173). Tertullien a ensuite interprété *I Cor.* 7 en adaptant à cette interprétation les méthodes que les rhéteurs employaient lorsqu'ils se trouvaient en présence de textes contradictoires. Une telle interprétation lui a permis de mettre en évidence, sous d'apparentes antinomies, l'unité de la pensée paulinienne (cf. *ibid.*, p. 120).

42. Cf. *o.c.*, p. 122s.

plicamini), parce que depuis lors une nouvelle discipline est intervenue, plus sévère et plus rigoureuse, de la même façon que l'Évangile avait remplacé la Loi mosaïque (chap. 6). Ces paroles constituent une interprétation historique du christianisme selon trois époques distinctes : le judaïsme, la Révélation, les derniers temps, c'est-à-dire la période qui a commencé avec l'avènement du Paraclet, promis par le Christ et qui durera encore le petit nombre d'années qui nous sépare de la fin du monde. C'est une périodisation de l'histoire de l'humanité qui a été conçue par Tertullien à la suite de son adhésion au montanisme[43] et qui devient particulièrement utile ici à notre auteur, étant donné le but qu'il se propose.

Non moins discutable est la suite du discours, lorsque Tertullien entreprend de démontrer que la monogamie des prêtres était déjà voulue par l'Ancien Testament. C'est ainsi que nous trouvons cité (7,1) un passage du Lévitique (*sacerdotes mei non plus nubent*) dont l'interprétation est assez douteuse, car il ne se trouve pas dans le texte originel tel que le cite Tertullien. Ce texte peut être rapproché de *Lev.* 21,7 et 21,13. On a pensé que ce passage était compris dans ce sens[44] : que la digamie était interdite par la Loi *ratione uxoris*, c'est-à-dire, si on tient compte non seulement du prêtre mais aussi de la femme du prêtre, lequel ne pouvait donc épouser une femme divorcée. Selon C. Munier[45], cette interprétation était courante dans les églises primitives : mais s'il en était ainsi, il eût difficilement échappé aux adversaires de Tertullien qu'il existait un texte aussi important en leur défaveur. Il est probable que cette interprétation, ainsi liée à

---

43. Cette périodisation se retrouve dans les œuvres les plus importantes de la période montaniste : dans le *De resurrectione* (cf. chap. 63,7s.) et dans le *De monogamia* (cf. chap. 2-3), avec une référence fréquente à la prophétie de *Joel* 3,1.

44. Cf. W.P. Le Saint, *Tertullian, Treatises on Marriage, ad loc.*

45. Cf. C. Munier, *o.c.*, p. 171.

la pratique vétéro-testamentaire, était de moins en moins observée, car les autres textes, comme précisément la *Première Épître aux Corinthiens*, avaient remplacé le *Lévitique* dans l'observance de vie des communautés chrétiennes. Donc Tertullien tenterait de redonner vigueur à une interprétation de moins en moins répandue. Il est certain que Tertullien essaie d'étendre même aux laïcs les prescriptions qui étaient valables pour les prêtres et pour les *episkopoi* (celles-ci contenues dans *I Tim.* 3,2 et *Tit.* 1,6). Il affirme explicitement en effet que les laïcs sont prêtres : *differentiam inter ordinem et plebem constituit ecclesiae auctoritas et honor per ordinis consessum sanctificatus.* Il est évident que cette expression veut souligner la dignité des laïcs au détriment de la hiérarchie (surtout comme la concevaient les psychiques) ; elle se situe dans le contexte des tendances générales du montanisme qui, dans son exaltation du charisme prophétique, fut substantiellement hostile à la hiérarchie ; celle-ci était regardée quasi exclusivement comme le *numerus episcoporum* (selon la fameuse sentence du *De pudicitia* 21,17), auxquels Tertullien refusait même le pouvoir de pardonner les péchés. Le Carthaginois s'appuie sur les affirmations de saint Paul à savoir que « le juste vivra de la foi » (*Rom.* 1,17) et que « en Dieu, il n'y a pas acception de personnes » (*Rom.* 2,11) (7,4). Donc le laïc possède aussi le *ius sacerdotis*, et par conséquent, il a les mêmes devoirs que le prêtre (7,4-6).

Autre référence à l'Apôtre : tout est permis mais tout n'est pas opportun (*I Cor.* 6,12). Ce sont des paroles qui, selon Tertullien, peuvent être appliquées au second mariage qui, même s'il est licite, n'est pas pour cela utile (8,1). Au prix de nombreuses difficultés, il s'efforce de faire admettre dans la catégorie de ce qui est licite, mais non utile, les secondes noces, en prenant un exemple illustre : le comportement de l'Apôtre qui aurait pu se marier et qui ne l'a pas fait (8,3). Le discours devient, sur ce point, explosif, parce que l'Apôtre

a évité non les secondes noces, mais les noces en soi ! Sur ce,
poursuivant sur la même pente, l'auteur doit admettre que le
mariage en tant que tel (et non le second mariage) est une
sorte de *stuprum*.

En agissant ainsi, Tertullien reprend l'affirmation bien
connue d'Athénagoras qui avait parlé (*Suppl.* 33), comme on
l'a vu plus haut, d'*euprepès moicheia* à propos des secondes
noces. Mais le Carthaginois, partant de la condamnation des
secondes noces comme fornication (9,1), en arrive à désigner
du terme de *stuprum* le premier mariage. Le discours de notre
auteur est tellement captieux qu'il suffit d'un échantillon
pour le montrer : *ecquid uidetur tibi stupri affine esse secundum matrimonium, quoniam ea in illo deprehenduntur
quae stupro competunt* ? (9,3) La différence entre le mariage
et la fornication, en effet, ne consiste pas dans la chose en
soi, mais dans la loi (9,3). Loi humaine ou loi divine ? vou-
drait-on demander. Quoi qu'il en soit, notre auteur ne recule
pas, ne serait-ce que par amour de la polémique, devant les
inévitables conséquences : détruire le mariage en tant que tel
(9,4). Tout aussi perverse, comme on le verra bientôt, est l'interprétation scripturaire à laquelle recourt Tertullien pour
défendre son affirmation : parce que l'Apôtre a dit de s'abstenir des rapports conjugaux quand on se consacre à la prière,
et comme d'autre part la prière est toujours nécessaire, il en
résulte qu'il faut toujours pratiquer la continence. Et surtout
Tertullien recourt à un argument nouveau, en faisant référence à l'oracle de Prisca, la fameuse prophétesse montaniste,
compagne de Montanus avec Maximilla, et qui est réellement
sainte et a autorité pour « évangéliser », au sens fort du
terme : la pureté donne la paix de l'âme et permet les visions
spirituelles (10,5). D'autre part, ces affirmations d'un
encratisme impitoyable s'accompagnent d'autres affirmations
qui, au contraire, se caractérisent par une ascèse plus pure et
plus profonde : comme la description des avantages spirituels
dont bénéficie l'homme qui pratique la continence (10,2 s.),

ou l'effet bénéfique que la continence elle-même a sur la prière qui vient d'un cœur pur et qui peut être bien accueillie par Dieu. Donc, plus sainte est la chair, mieux accueillie est la prière : c'est là une des plus précieuses conséquences que le christianisme ait apportées avec soi : la découverte de la prière comme rapport entre l'homme et Dieu, alors que pour le paganisme et la religion romaine, elle n'était rien d'autre qu'un acte aride de culte officiel.

Mais la condamnation du mariage par Tertullien est le résultat d'un endurcissement des sentiments qui sont les plus typiques du christianisme, et elle est le produit d'une ascèse toujours plus rigoureuse. Un tel durcissement apparaît aussi au chapitre 12 : après avoir assez efficacement décrit, sous les couleurs d'une ironie vive et cinglante, le désintérêt que les chrétiens doivent montrer à l'égard du monde et de toutes les occupations sociales et civiles (en effet, les chrétiens dans le monde ne sont que des pélerins, soumis en tant que ' soldats du Christ ' à une discipline encore plus sévère que la discipline militaire), Tertullien continue ainsi : *sufficiat ad consilium uiduitatis uel ista, praecipue apud nos, importunitas liberorum, ad quos suscipiendos legibus compelluntur homines, quia sapiens quisque numquam libens filios desiderasset* (12,5). Ces paroles ne sont pas dignes d'un chrétien, ni même d'un montaniste, mais elles pourraient se trouver à leur place sur les lèvres d'un philosophe cynique ou d'un stoïcien, dont les diatribes sur les *angustiae nuptiarum* étaient assez répandues à l'âge hellénistique et impérial[46]. L'encratisme de l'Église primitive était le fruit d'un vif sentiment de la valeur

---

46. Le problème des rapports entre Tertullien et la diatribe antique à propos de l'opportunité du mariage pour le sage, a été encore examiné récemment, mais avec de minces résultats en faveur d'une participation de Tertullien à un tel débat ; cf. par exemple les études de P. FRASSINETTI, « Gli scritti matrimoniali di Seneca e di Tertulliano », *Rendiconti Istituto Lombardo* 88, 1955, p. 151-188 ; C. TIBILETTI, « Un opusculo perduto di Tertulliano : *Ad amicum philosophum* », *Atti Academia delle Scienze di Torino* 95, 1960-1961, p. 122-166.

de l'ascèse ; et la sévérité de certains hérétiques, et des montanistes eux-mêmes, refusant le mariage, était suggérée par des arguments doctrinaux, pervers sans doute, mais certainement pas banals comme le sont au contraire ceux que l'on trouve ici. Pour pouvoir arriver à sa démonstration, Tertullien ne cite pas de passages de l'Écriture — et c'est logique, car, comme l'observe C. Rambaux[47], toute l'Écriture, en ce qui concerne le problème matrimonial dit exactement le contraire de ce qu'il pensait.

Une série d'exemples appropriés de continence, aussi bien païenne que chrétienne, termine l'opuscule : l'exemple non seulement doit servir la parénèse, mais il a encore la fonction de compléter l'argumentation et de fournir une preuve[48].

L'exégèse de I Cor. 7 chez Tertullien — Comme dans l'*Ad uxorem*, le fondement doctrinal sur lequel s'appuie Tertullien pour justifier son interdiction des secondes noces est constitué par le chapitre 7 de la *Première Épître aux Corinthiens*. Du reste, c'est au texte de saint Paul que faisaient référence ses adversaires, dans une véritable *altercatio*, débattant *de statu et scripto*, comme on l'a déjà observé plus haut. Il est donc opportun de chercher à clarifier les critères d'interprétation que Tertullien a utilisés pour l'épître de Paul.

Avant tout, notre auteur s'appuie sur la distinction entre mariage et virginité, qui avait été énoncée par l'Apôtre immédiatement au début du chapitre (cf. 7,1-2), pour souligner que le mariage est seulement permis, mais qu'il n'est pas recherché de la part de l'Apôtre. Saint Paul avait, il est vrai, distingué les deux états, les deux conditions du chrétien, en donnant la préférence à l'état de virginité ; mais il avait laissé bien clairement entendre que, comme tous les hommes ne

---

47. Cf. *o.c.*, p. 214-215.
48. Cf. J.-C. FREDOUILLE, *o.c.*, p. 126.

possèdent pas le charisme de demeurer dans la virginité, il leur conseillait le mariage pour qu'ils ne succombent pas dans les tentations de la chair. En somme, il avait, pour reprendre les paroles de Tertullien lui-même, qu'on lit dans une autre de ses œuvres (*Marc.* I, 29,2), préféré la virginité au mariage *non ut malo bonum, sed ut bono melius*. Ce sens implicite des paroles de l'Apôtre, et que Tertullien, répétons-le, avait parfaitement saisi quand il polémiquait contre Marcion (c'est une ironie du sort que Tertullien écrive ses meilleures pages dans le domaine chrétien quand il polémique contre les hérétiques), ce sens, disions-nous, a été déformé dans le *De exhortatione castitatis*, avec la pédante distinction entre *maior uoluntas* et *minor uoluntas*, comme on l'a vu plus haut (p. 28-29). Mais déjà dans l'*Ad uxorem* il était sur ce chemin : dans I, 3,2, s'il avait justement observé que l'Apôtre « permet » assurément que l'on se marie, mais « préfère la continence », il avait ajouté avec des paroles porteuses de la distorsion future : « nous reconnaissons facilement que la permission de nous marier ne nous a été accordée qu'en vertu d'une nécessité ; or ce que la nécessité accorde, elle le déprécie du même coup. » Dans le *De exhortatione castitatis*, au contraire, il n'y a plus de différence entre « ce qui est permis » et « ce qui est préférable », mais entre la *mera uoluntas* et l'*inuita uoluntas* (cf. 3,2). Cette distinction entre les deux volontés divines, qui est totalement arbitraire, aboutit au contraire de ce que voulait dire l'Apôtre : celui-ci ne préfère pas une chose plutôt que l'autre, mais, substantiellement, il veut une chose et ne veut pas l'autre. Et, pour appuyer cette interprétation, l'auteur revient au cours du chapitre 3 à une discussion sur ces deux types supposés de volonté, qui constitue une innovation par rapport à l'*Ad uxorem*, comme on l'a dit plus haut. Dans le même contexte (*De exhortatione castitatis* 3,6-7) Tertullien en vient à exposer son interprétation de *I Cor.* 7,9 (il est meilleur de se marier que de brûler) qui est restée substantiellement la

même, d'*Vx.* I, 3,3 à *Mon.* 3,4. Cependant dans les deux
œuvres montanistes, comme le remarquent C. Rambaux[49] et
C. Munier[50], Tertullien entend « brûler » comme une *poena*,
c'est-à-dire comme une peine de l'enfer ; cette interprétation
aussi concrète reparaît encore dans *Mon.* 3,4-6 et *Pud.* 1, 15
et 16,15-16.

Une autre interprétation violente de la *Première Épître aux
Corinthiens* se lit dans *Cast.* 4, 1-2. Ici la permission de se
marier que l'Apôtre donne aux fidèles de Corinthe, Tertullien
l'attribue au conseil humain, et non à l'ordre divin, que l'on
ne rencontre pas dans tout le Nouveau Testament. On pourrait répliquer à Tertullien qu'il n'est pas étonnant qu'il
n'existe pas de précepte divin pour le mariage. De toute
façon, ce n'est pas totalement à tort que notre auteur observe
(4,3) que la permission de se remarier est limitée par une
série d'observations de l'Apôtre sur les difficultés et les
mesquineries de la vie conjugale. Et en effet il n'y a aucun
doute que saint Paul considérait la virginité comme un
charisme plus grand (et plus difficile) que le mariage. Cela
signifie que l'exégèse de Tertullien, là où elle est arbitraire,
altère subtilement des affirmations doctrinales parfaitement
valables : en leur faisant subir une distorsion, sans que le
lecteur entraîné par l'impétuosité du discours s'en rende
compte, il les rend insoutenables : et c'est en cela que
consiste le caractère insidieux de son exégèse. Ainsi de justes
affirmations sont-elles accompagnées d'autres qui, appuyant
le point de vue de l'auteur, deviennent caduques ; par exemple en 4,3 : « et il dit ceci du premier mariage : à combien
plus forte raison du second ? » (à propos des difficultés de la
vie matrimoniale) — ce climax n'est pas dans saint Paul ; ou
encore dans le même paragraphe : « et quand il nous exhorte

---

49. Cf. « La composition et l'exégèse », p. 20-21 ; C. Rᴀᴍʙᴀᴜх s'intéresse à l'utilisation que Tertullien fait de cette pensée de l'Apôtre.

50. Cf. *o.c.*, p. 160.

à suivre son exemple, surtout en nous montrant comme il veut que nous soyons, c'est-à-dire continents, il fait également voir comment il ne veut pas que nous soyons, c'est-à-dire incontinents. » La seconde partie de l'affirmation en fait ne s'opposait pas à ce que nous ne fussions pas vierges ; il préférait seulement que nous le fussions ; et appliquer l'affirmation *id est incontinentes* à la situation conjugale est une interprétation de Tertullien, non de saint Paul. C'est toute cette confusion entre vouloir (le mariage) et préférer (la continence), entre permettre et conseiller qui fausse les conséquences auxquelles notre auteur veut aboutir.

Dans la conclusion du chapitre 4, Tertullien interprète les derniers versets de *I Cor.* 7 : le mari mort, la veuve peut se remarier, pourvu qu'elle se marie avec un chrétien ; elle sera de toute façon plus heureuse si elle reste comme elle est. Ceci est un conseil, dit l'Apôtre, qui cependant le couvre de son autorité du fait qu'il pense posséder l'Esprit de Dieu. En réalité l'Apôtre n'a pas l'intention de dire que, possédant l'Esprit de Dieu quand il conseille la continence, un tel conseil est plus pressant que lorsqu'il conseille de se remarier, pourvu que ce soit dans le Seigneur ; il veut seulement dire que, du moment qu'il est conscient de suggérer à un chrétien une charge bien plus pesante, c'est-à-dire celle de la continence, il ne le fait pas arbitrairement, au nom d'un encratisme injustifié, mais parce qu'il est autorisé à suggérer, à recommander cette condition de vie ardue, par le fait que l'Esprit de Dieu est présent en lui, l'Apôtre.

Il est pénible de voir encore que l'auteur carthaginois pense se référer aux paroles de l'Apôtre pour justifier aussi son affirmation absurde que la seule différence existant entre le mariage et le *stuprum* est d'ordre juridique (9,3). « C'est une excellente chose pour l'homme de ne pas toucher la femme » avait dit saint Paul (*I Cor.* 7,1) ; mais il avait aussitôt ajouté qu'à cause du danger de fornication, tout converti devait avoir sa femme. La citation n'est donc faite qu'à moitié[51], et cela est d'autant plus significatif que dans l'*Ad uxorem* (I,3,2), Tertullien avait cité exactement le passage.

Pareillement, il justifie l'affirmation que sacrifier sa propre chair procure le grand bénéfice de la sainteté, et sa description des avantages spirituels que la continence procure à l'homme est édifiante ; mais on y retrouve la manière habituelle d'interpréter arbitrairement les paroles de l'Apôtre (*I Cor.* 7,5 : « Ne vous refusez pas l'un à l'autre ; si ce n'est d'un commun accord, pour un temps, afin de vaquer à la prière. ») De fait, Tertullien ne cite pas la deuxième partie du verset (« et puis revenez *in id ipsum,* de peur que Satan ne profite, pour vous tenter, de votre incontinence ») ; et il en tire une conséquence ouvertement absurde : puisque la prière est toujours nécessaire, la continence l'est aussi qui prépare à la prière. Ce que l'Apôtre avait limité *ad tempus,* les obligations du mariage restant sauves, est étendu arbitrairement par Tertullien, en violation désinvolte des obligations du mariage. C'est là sans aucun doute une interprétation tendancieuse. Disons, à la décharge de Tertullien, que l'ambiance dans laquelle l'écrivain vivait était tellement imprégnée d'encratisme que de telles affirmations pouvaient ne pas paraître aussi absurdes qu'elles le sont pour nous. Au demeurant, une bonne partie de l'interprétation de *I Cor.* 7 contenue dans le *De exhortatione castitatis* est abandonnée dans le *De monogamia* probablement parce que l'auteur lui-même s'est rendu compte qu'elle n'était guère soutenable.

---

51. Un procédé mis en lumière avec toute sa portée par C. RAMBAUX pour la première fois (cf. « La composition et l'exégèse », p. 210 s.).

Les aspects littéraires du Après tout ce que nous avons
« De exhortatione castitatis » dit jusqu'à présent des différentes manières d'argumenter de
Tertullien, il est opportun de chercher à comprendre l'opuscule dans son ensemble en jetant sur lui un regard synthé-
tique.

Deux éléments nous ont frappé plus que les autres (et nous
avons cherché à les souligner) : d'une part les interprétations
forcées des textes scripturaires, d'autre part les positions d'un
rigorisme exaspéré. S'il est vrai que ni l'un ni l'autre ne peuvent être considérés comme propres au *De exhortatione castitatis*, il semble toutefois que peu d'œuvres autant que celle-ci
présentent des argumentations et des exégèses aussi ouvertement tendancieuses : il suffit de penser à l'identification du
mariage (non des secondes noces) avec le *stuprum*, aux
angustiae nuptiarum et à l'*importunitas liberorum* : trois
motifs que je n'hésiterais pas à déclarer non chrétiens. Il
suffit de penser, d'autre part, à la distinction entre *maior
uoluntas* et *minor uoluntas*, à la classification du mariage
dans la catégorie des choses qui sont licites, mais qui ne sont
pas opportunes. D'autres éléments du même genre pourraient
facilement être découverts. Et si quelques-unes de ces ou-
trances de l'encratisme, de ces interprétations tendancieuses
ont encore été conservées par la suite dans le *De monogamia*,
il nous semble cependant permis d'avancer l'hypothèse que
certaines exaspérations de la pensée, certaines violences
dans l'exégèse du texte sacré ne se trouvent que dans le *De
exhortatione castitatis*. Le *De monogamia*, qui cependant ne
le cède en rien pour la façon impitoyable avec laquelle sont
analysés les sentiments humains et la faiblesse de la chair
(qu'on lise le terrible chapitre 16 !), est mieux pensé ; il
approfondit mieux certains thèmes, il cherche, là où il le peut,
à affronter la ' critique du texte ' de la *Première Épître aux
Corinthiens* ; il fait référence au Saint Esprit, à une doctrine
de la foi véritable et personnelle (quoique schismatique), celle

des montanistes ; il laisse de côté la sainte prophétesse Prisca, dont l'autorité n'avait convaincu personne, surtout parmi les psychiques et la hiérarchie de l'Église de Carthage.

A quoi visent nos observations ? A avancer l'hypothèse que le *De exhortatione castitatis* contenait beaucoup d'éléments d'improvisation, c'est-à-dire que c'est une œuvre insuffisamment pensée, écrite sous la poussée d'une conviction authentique, certes, mais qui recourt pour s'imposer à des arguments qui valent sur le moment, sans pouvoir résister à une réflexion plus exigeante, et qui est dépourvue d'esprit de conciliation.

Notre impression pourrait être confirmée par une observation de J.-C. Fredouille, quand il écrit[52] que « à première vue, le *De exhortatione castitatis* surprend par son désordre ; la disposition de l'ensemble est anarchique, un certain nombre d'arguments développés dans les chapitres 6 à 12 n'obéissent à aucun plan logique... », même si J.-C. Fredouille tend ensuite à limiter son observation en cherchant dans l'opuscule un plan rhétorique bien précis qu'il essaie de mettre au clair et qui semble totalement convaincant comme nous le verrons bientôt (p. 46 s.). Cependant on ne peut pas nier que la série des arguments contenus dans les chapitres 6-12 (Fredouille y voit six objections à la thèse de Tertullien) n'est pas construite selon un plan logique. Les six objections sont juxtaposées l'une après l'autre, sans lien entre elles.

Ce caractère provisoire de l'œuvre, le fait qu'elle ne possède pas suffisamment d'autorité pour défendre les idées de notre auteur dans le cadre de son évolution doctrinale, constitue peut-être le motif pour lequel l'écrivain lui-même n'a pas hésité à composer un troisième ouvrage sur le thème des secondes noces.

---

52. Cf. *o.c.*, p. 110.

Si l'on a observé plus haut (p. 11) que l'évolution de l'*Ad
uxorem* au *De exhortatione castitatis* est analogue à celle qui
va du *De Paenitentia* au *De pudicitia*, ou du *De cultu
feminarum* au *De uirginibus uelandis*, en ce sens que nous y
constatons le passage d'un rigorisme moins astreignant à un
rigorisme plus astreignant, toujours cependant dans le cadre
des mêmes convictions éthiques, il est remarquable que sur la
question des secondes noces, Tertullien a écrit non pas un,
mais en réalité deux traités pendant la période montaniste,
pour s'opposer au traité de la période « psychique » et en
corriger les idées ; et comme l'interdiction des secondes
noces contenue dans le *De monogamia* n'est pas différente
de celle qui est signifiée dans le *De exhortatione castitatis*, il
semble logique de conclure que cet opuscule est une œuvre de
caractère provisoire, composée pour répondre à la demande
d'un frère de la communauté montaniste de Carthage, et des-
tinée à être ensuite reprise et approfondie dans un travail
mieux élaboré et plus riche de contenu doctrinal, le *De
monogamia*.

Le *De exhortatione castitatis* est une œuvre mineure de
Tertullien, mais elle manifeste avec évidence, dans ce qu'il a
de mauvais comme dans ce qu'il a de bon, toutes les caractéristiques de l'art de son auteur. En particulier, dans sa
manière de penser et d'écrire, Tertullien est porté aux excès :
excès de l'ironie, de l'impétuosité, de la polémique, en ce qui
a trait au contenu ; excès encore dans l'argumentation rhétorique qui se développe soit dans les amples volutes d'un ton
pathétique et solennel — comme dans le chapitre final consacré aux exemples de continence païenne et chrétienne —, soit
dans l'obstination querelleuse et sèchement rythmée des phrases brèves et répétées, qui avancent, passant d'un parti à
l'autre, avec la démarche typique de Tertullien de parler *in
utramque partem* autour des deux pôles d'un argument unique (que l'on pense surtout au *De corona* et aux fines observations de J. Fontaine sur l'argumentation « dialogale » de

Tertullien). Ces deux types d'utilisation de la rhétorique étaient, du reste, caractéristiques du style asianique et remontaient assez loin dans le temps, jusqu'au début de ce style rhétorique, comme nous l'apprenons par Cicéron (cf. *Brutus,* 95,325). Malgré la distinction entre les œuvres consacrées aux païens et celles qui sont réservées aux cercles plus restreints des chrétiens (c'est le cas du *De exhortatione castitatis*), Tertullien ne renonce pas, dans ces derniers, à sa formation rhétorique originaire et soumet son *usus scribendi* à toutes les préciosités auxquelles il a été initié, tout en proclamant son dédain pour les apparences du style.

Le *De exhortatione castitatis* est une œuvre mineure, a-t-on dit. Elle n'en manifeste pas moins les caractéristiques du style de Tertullien, qui émergent avec plus de limpidité dans ses œuvres les plus célèbres et les plus belles. J. Fontaine a montré (bien que ce ne soit pas à propos de notre opuscule), mieux que tout autre critique moderne, les constantes de l'art de Tertullien et il en a vérifié les sources et les rapports réciproques[53].

Avant tout, le goût pour le violent et le pathétique qui avait été inauguré un siècle auparavant par Tacite, en même temps qu'une recherche insistante des discordances. Cette tendance stylistique se manifeste, dans le cadre restreint de notre opuscule, surtout là où notre auteur veut toucher les cœurs, en particulier avec une recherche de ce qui est terrible ou menaçant : ainsi dans le cours du chapitre 9, où il montre à ses contradicteurs, dans le dessein évident de les déconcerter, l'identité substantielle entre mariage et fornication, en concluant son argumentation par un raccourci effrayant du Jugement final : ou encore, dans sa conclusion, lorsqu'il énumère à un rythme pressant, pour ses lecteurs, les exemples de continence, païenne et chrétienne. Les *lumina ingenii* et les

---

53. Cf. J. FONTAINE, *Aspects et problèmes de la prose d'art latine au III* siècle, Torino 1968, p. 44-68.

sententiae (qui chez Tertullien sont relativement plus rares que chez un écrivain comme Sénèque) ponctuent alors le cours du raisonnement : Didon préférant brûler plutôt que se marier (évidente est la référence sarcastique aux psychiques qui s'appuyaient sur le fameux verset paulinien), ou Lucrèce lavant avec son sang sa chair souillée (la description de type « grand opéra » passe intentionnellement d'une signification littérale à une signification métaphorique). Nous avons touché ainsi la seconde source du style de Tertullien : son contact avec celui de Sénèque que l'écrivain carthaginois connaissait parfaitement (Sénèque était *saepe noster* et non seulement par le contenu mais aussi par le style). Les *sententiae*, frappées à la manière de Sénèque, sont donc une autre caractéristique de la manièrc de s'exprimer de Tertullien, placées, comme il est de règle chez Sénèque et les autres écrivains, à la fin de l'argumentation, pour obtenir de meilleurs effets. C'est ce que nous lisons en 9,5 : *et quando finis nubendi ? Credo post finem uiuendi !*, ou encore en 12,1 : *scilicet solis maritorum domibus bene est* !

Il ne faut pas négliger, quoiqu'elle soit plus difficile à saisir, l'influence d'Apulée sur Tertullien. J. Fontaine y a insisté avec plus de conviction que les critiques antérieurs : il remarque de manière persuasive qu'il est vraisemblable que Tertullien, qui est plus jeune que son compatriote Apulée, ait entendu ses conférences dont nous avons quelques exemples dans les *Florides*. Cependant l'ostentation et le caractère théâtral qui sont typiques du style et de la mentalité d'Apulée sont restés étrangers au mode d'expression de Tertullien. J'expliquerai cette attitude par l'aspiration à la concision qui élimine tout ce qui est inutile et faux et que J. Fontaine relève dans la création par Tertullien d'un style nouveau[54]. Tout de même, la leçon d'Apulée, son goût pour la préciosité et pour

---

54. Cf. *Ibid.*, p. 68.

l'expression recherchée et hors du commun apparaît même dans le *De exhortatione castitatis* : relisons par exemple les quelques lignes (5,1) où l'on rappelle à la mémoire du lecteur la création de l'homme, qui doit servir à fixer la norme pour le comportement du chrétien, avec l'image (à l'origine de laquelle se trouve une référence à saint-Paul) de Dieu qui crée (m. à m. : façonne) l'homme, ou l'image de la *coniunctio et concretio in unitatem* qui doivent se réaliser une seule fois. Et dans le cours du chapitre 6, les diverses images qui scandent l'histoire de l'humanité, de ses normes éthiques qui se développent successivement : la « semence » du genre humain, le « laisser libres les rênes du mariage », la *repastinatio* d'un usage tolérant, qui s'instaure à la fin des temps. L'ordre ancien donné à l'humanité de se multiplier est assimilé à une forêt que l'on laisse croître en attendant qu'elle soit taillée.

On peut donc conclure que le *De exhortatione castitatis*, en dépit de ses modestes dimensions et de son rang d'œuvre mineure dans le cadre de l'importante production de Tertullien, ne manifeste pas moins que les œuvres plus significatives les caractéristiques spécifiques du grand art de l'écrivain carthaginois.

Genre littéraire et structure de l'œuvre   En abordant le problème des secondes noces, Tertullien s'était présenté au public de la communauté chrétienne avec un petit traité sous forme épistolaire, une véritable « lettre ouverte » *ad uxorem*, à sa femme[55]. Revenant sur ce problème quelques années plus tard, Tertullien recourt à un genre littéraire assez hybride. Il n'y a pas de doute en effet que notre auteur voulait donner à

---

55. Tertullien aime rendre publiques ses opinions : on pense à l'*Ad Scapulam* destiné au gouverneur de la province d'Afrique, mais qui a eu la même diffusion auprès du public que ses autres ouvrages.

son œuvre un caractère de plus grande objectivité, ce que la forme épistolaire ne permettait pas, et la détacher des événements contingents : il écrit un traité sur les raisons qui incitent à observer la continence. Mais il n'a pas renoncé du tout à une expression de type personnel, et il s'adresse, sous forme de dialogue, à une autre personne : c'est un personnage probablement réel lui aussi, qui est présent dans tout l'opuscule et grâce auquel l'auteur développe ses considérations sur la nécessité de ne pas contracter de secondes noces après la mort du conjoint. Cette position moyenne, typique du *De exhortatione castitatis*, sera ensuite totalement abandonnée dans le *De monogamia*, qui a totalement la forme d'un traité et dans lequel n'est présent aucun personnage réel auquel Tertullien adresserait ses exhortations.

Selon Monceaux[56], le petit traité de Tertullien devrait être une consolation, mais il n'en a ni le ton ni les thèmes ; il semblerait être plutôt une exhortation, comme l'écrit Tertullien lui-même (cf. 1,1 ; 13,1). Mais d'une manière plus détaillée et plus approfondie J.-C. Fredouille a examiné le *De exhortatione castitatis* et il a repéré le schéma de sa composition qui peut donc, avec quelques modifications, être reconstitué ainsi :

A) ORATIO (chapitres 1-5).

Exordium (1,1) : opportunité de conseiller à un veuf de ne pas se remarier.

Propositio (chapitre 1,2-5)
    1) il ne faut pas écouter les besoins de la chair,
    2) il faut travailler à notre *sanctificatio* comme Dieu le veut. Une telle *sanctificatio* s'unit à la *modestia*, c'est-à-dire à l'obéissance au vouloir divin.

---

56. Cf. P. MONCEAUX, *Histoire littéraire*, etc., *o.c.*, I, p. 459.
57. Cf. J.-C. FREDOUILLE, *o.c.*, p. 110-113.

Confirmatio

1) Thèse (2,1-3,5). Problème général du libre arbitre de l'homme et de sa conformation à la volonté de Dieu. Mais le vouloir de Dieu ne consiste pas dans l'*indulgentia*, mais bien dans la *maior uoluntas* ; elle ne consiste pas dans la loi qui permet, mais dans la loi qui défend, car la seconde est toujours plus importante que la première.

2) Hypothèse (3,6-4,6). Examen d'un cas particulier, représenté par le problème des secondes noces. Plus précisément la *maior uoluntas* de Dieu doit être recherchée dans la lettre de l'Apôtre (*I Cor.* 7) qui traite de ce problème. Examen de *I Cor.* 7 à la lumière de la norme énoncée dans la « thèse ».

3) Un argument tiré de l'histoire sainte (mariage monogamique d'Adam et d'Ève) (5,1-4) confirme l'interprétation du passage de *I Cor.* 7.

B) ALTERCATIO (chapitres 6-12). Examen des objections des adversaires et leur réfutation.

1) Chez les Patriarches existait la polygamie. Réfutation : la loi nouvelle abroge la loi ancienne et il n'y a plus de place pour les « types » de la loi ancienne. Pour cette raison, même le prêtre ne peut pas se remarier (chapitres 6-7,2).

2) Objection tirée de la réfutation précédente : si le prêtre ne peut pas se remarier, alors le laïc le peut. Réfutation : *nonne et laici sacerdotes sumus* ? (chapitre 7,2-5)

3) Mais parfois peuvent surgir des cas de force majeure. Réponse : la nécessité ne constitue pas une excuse et surtout elle ne peut pas donner à une chose une valeur que celle-ci ne possède pas (chapitre 7,5-8).

4) Si Tertullien considère les noces comme un *stuprum*, alors il condamne même les premières noces. Réponse : en effet, il n'y a aucune différence entre le mariage et le *stuprum*, parce que l'un et l'autre exigent la *commixtio carnis* ! (chapi-

tre 9). Considérons plutôt quels sont les avantages d'une renonciation aux désirs de la chair, plutôt que d'ergoter sur les premières et les secondes noces qui, les unes et les autres, impliquent la satisfaction de tels désirs (chapitre 10). D'autant plus que les secondes noces mettent le mari dans une situation difficile de sentiments et de pensée par rapport à sa première femme (chapitre 11).

5) Une femme est nécessaire comme compagne de l'homme dans la vie domestique. Réponse : à cette nécessité peut très bien satisfaire une *uxor spiritalis* (chapitre 12,2).

6) Une femme est nécessaire à cause des obligations qu'a l'homme dans ses rapports avec la société. Réponse : de telles obligations n'existent pas pour un chrétien (chapitre 12,3-6).

C) EXEMPLA :

1) Exemples profanes (chapitre 13,1-3)
2) Exemples chrétiens (chapitre 13,3-4).

Conclusion (chapitre 13,4).

La survie du traité   Il peut être opportun de tenter de faire quelques considérations sur la survie de ce petit ouvrage de Tertullien. Mais quelques traces à peine sont décelables chez les écrivains postérieurs : l'encratisme impitoyable qui le domine, l'adhésion ouverte au montanisme comme en témoigne la citation de l'oracle de Prisca, et la mauvaise réputation dont jouissait Tertullien lui-même n'ont pas favorisé une large diffusion de son contenu[56].

Fait exception une personnalité qui, sous bien des aspects, peut être considérée comme proche de Tertullien : nous vou-

---

58. Quelques informations sur le *Nachleben* de Tertullien dans l'étude classique de A. HARNACK, « Tertullian in der Literatur der Alten Kirche », *SPAW*, XXIX, 1895, p. 545-579.

lons parler de Jérôme, dont l'ascèse rigoureuse et le tempérament colérique le portaient naturellement à lire avec intérêt les petits traités du Carthaginois sur le mariage, sauf à déclarer impitoyablement et avec une extrême ingratitude, comme on le sait : *de Tertulliano nihil amplius dico quam Ecclesiae hominem non fuisse* (*Adu. Heluid.* 17, *PL* 23, 201 B). Il y a près d'un siècle, F. Schultzen[59] avait déjà relevé des traces du *De monogamia* de Tertullien dans l'*Aduersus Iouinianum* de Jérôme. Plus récemment, C. Micaelli[60] dans une étude très précise et minutieuse a démontré que Jérôme a utilisé non seulement le *De monogamia* mais aussi le *De exhortatione castitatis*. Jérôme utilise Tertullien dans l'*Aduersus Iouinianum* (en particulier dans le premier livre, qui est consacré presque entièrement à l'interprétation de *I Cor.* 7, un texte qui, comme on l'a vu, est capital pour Tertullien aussi), dans l'*Aduersus Heluidium*, dans les *Épîtres* 22 et 49 et dans l'*Épître* 123 (*ad Geruchiam*).

Après l'œuvre du Stridonien, les échos du *De exhortatione castitatis* sont toujours plus rares : il devait apparaître de plus en plus étranger à la mentalité courante et à la *praxis* habituelle des chrétiens (il avait été, du reste, un splendide document de l'éthique pré-constantinienne), jusqu'à ce que, environ un siècle après la lecture attentive qu'en avait faite Jérôme, il fut frappé, avec les autres œuvres de Tertullien, comme apocryphe, par le Décret de Gélase.

Cependant entre le VIe et le VIIe siècle, l'opuscule de Tertullien jouit d'un renouveau d'intérêt et d'estime de la part de la plus fameuse personnalité littéraire de l'Espagne wisigothique, nous voulons parler d'Isidore de Séville, qui dans le

---

59. Cf. F. Schultzen, « Die Benutzung der Schriften Tertullians *de monogamia* und *de ieiunio* bei Hieronymus *adu. Iouinianum* », p. 485-502.

60. Cf. C. Micaelli, « L'influsso di Tertulliano su Girolamo ; le opere sul matrimonio e le seconde nozze », *Augustinianum* XIX, 1979, p. 415-429.

second livre de son *De ecclesiasticis officiis* puise dans l'œuvre de Tertullien. Le repérage des sources de l'œuvre d'Isidore est dû à A.C. Lawson[61], qui a relevé les *loci paralleli* suivants :

De eccles. officiis	*De exhortatione castitatis*
II, 17(18),2	chap. 6
II, 19(20),3	chap. 5

Ces rapprochements restent toutefois quelque peu obscurs. On aura une vision plus complète grâce aux rapprochements suivants :

II, 18,1, 804 B... in ipsa concupiscentiae radice castrantes... 6, 806 A... qui se amore castrauerunt... cf. *Cast.* 7,1

II, 18,2-3	*Cast.* 6,1 et s.
II, 19,2	*Cast.* 1,4
II, 20,3	*Cast.* 5,1
II, 20,4	*Cast.* 5,4
II, 20,5 (810 C)	*Cast.* 5,1-2
II, 20,5 (811 A)	*Cast.* 13,1

Le texte de l'ouvrage   Le *De exhortatione castitatis* est contenu dans les manuscrits de deux des *corpora* dans lesquels a été distribuée l'œuvre de Tertullien : le *corpus Agobardinum* et le *corpus Cluniacense*. Le premier est représenté par le manuscrit *Paris. Lat.* 1622,

---

61. Cf. A.C. LAWSON, « Las fuentes del *De ecclesiasticis officiis* », *Archivos Leoneses*, n°s 33-34, Leon 1963, p. 5-82. Je connais le travail de Lawson par un extrait que je dois à la courtoisie du Professeur P. Petitmengin à qui vont mes plus profonds remerciements.

souvent appelé *Agobardinus* (Agobard, évêque de Lyon, l'a
fait copier au IXe siècle) : ce manuscrit, comme on le sait, se
trouve à la Bibliothèque Nationale de Paris ; son sigle habituel est *A*. Le *De exhortatione castitatis* est contenu dans les
ff 188v-196v. L'*Agobardinus* n'a pas eu, autant qu'on le
sache, de descendance. Le *Corpus Cluniacense* est ainsi
appelé parce qu'il est constitué par un certain nombre de
manuscrits, qui directement ou indirectement dérivent d'un
exemplaire copié à Cluny, probablement au XIe siècle[62]. Le
De exhortatione castitatis se trouve seulement dans quelques
manuscrits de ce corpus, manuscrits qui peuvent être classés
de manière à constituer deux rameaux d'une tradition qui se
révèle, surtout si on la confronte avec celle de l'*Agobardinus*,
substantiellement concordante. Au premier rameau de cette
tradition appartient le *Florentinus Magliabechianus* I, VI, 10
(*F*), qui a fini d'être copié à Pforzheim en 1426 sur un
manuscrit aujourd'hui perdu, que l'on appelle habituellement
Pforzhinensis[63]. Dans ce manuscrit *Florentinus*, le *De
exhortatione castitatis* est contenu dans les ff 94v-100v. A ce
rameau appartient encore le *Luxemburgensis* 75, de la fin du
XVe siècle (*X*) (ff 96r-101v), copié lui aussi, selon ce que
nous avons observé par ailleurs[64], sur le *Pforzhinensis* ou
comme le pensent d'autres savants[65] sur l'exemplaire sur
lequel le *Pforzhinensis* lui-même aurait été copié, c'est-à-dire
l'*Hirsaugiensis deperditus*, en deux volumes, dont s'était servi
Beatus Rhenanus dans la préparation de l'*editio princeps* de

---

62. Ce sont les résultats de l'enquête de E. KROYMANN, « Kritische
Vorarbeiten für den III. und IV. Band der neuen Tertullian-Ausgabe »,
SAWW 6, 1900, p. 15-16 ; *Q.S.F. Tertulliani opera ex recensione* Ae.
KROYMANN, *CSEL* XLVII, Vindobonae 1906, p. VI s.

63. Cf. KROYMANN, *Tertulliani opera... CSEL* XLVII, *o.c.*, p. XX ;
« Kritische Vorarbeiten », *o.c.*, p. 6-7.

64. Cf. « Prolegomena ad una futura edizione dell'Aduersus Marcionem di Tertulliano », *ASNP*, 35, 1966, p. 302.

65. Cf. J.W.Ph. BORLEFFS, « Zur Luxemburger Tertullianhandschrift »,
Mnemosyne III, 1935, p. 299-308.

Tertullien à Bâle (Froben, 1521, p. 502-511). Cette *editio princeps* contient seulement quelques-uns des traités de notre auteur (d'autres s'y ajouteront par la suite) ; parmi eux figure le *De exhortatione castitatis*. L'*editio princeps* de Rhenanus (*R*[1]), ayant été établie sur l'*Hirsaugiensis*, dont dérivent, en ultime analyse, aussi bien *F* que *X*, est de première importance pour l'établissement du texte et elle constitue un représentant fondamental du *Corpus Cluniacense*.

La seconde branche de la tradition manuscrite du *Corpus Cluniacense* est représentée par le *Florentinus Magliabechianus* I. VI. 9, qui a pour sigle *N*, du XVe siècle (ff 160r-162v). Ce manuscrit n'est pas un des meilleurs de cette branche de la tradition, car il est nettement inférieur au *Montepessulanus* 54 (*M*) du XIe siècle, dont il dérive[66]. Mais le *Magliabechianus* contient le *De exhortatione castitatis* qui a été perdu dans le *Montepessulanus*. Aussi, malgré ses fautes certaines et ses fréquentes erreurs, qui n'en font pas un manuscrit supérieur à *F* et *X* (comme c'est le cas pour le *Montepessulanus*, là où une comparaison entre *M* et *FX* est possible), il est cependant l'unique représentant de la seconde branche du *Corpus Cluniacense*.

Deux autres manuscrits qui dans le passé avaient été utilisés par certains éditeurs (le *Vindobonensis* 4194 — maintenant à la Bibliothèque Nationale de Naples, sigle VI, C, 36 —, et le *Leidensis* B. P. lat. 2[67]), dérivent de *F* (*F → V → L*)[68], et n'ont pas été utilisés pour la présente édition.

Finalement, quelle est la valeur, pour l'établissement du texte, des deux *corpora* dont il a été question jusqu'ici ? Il ne

---

66. Cf. E. KROYMANN, « Kritische Vorarbeiten », *o.c.*, p. 11 et 13.

67. Ces deux manuscrits utilisés dans le passé par Oehler (Leipzig 1853-1854), négligés par Kroymann, ont été de nouveau pris en considération par J.H. WASZINK dans son édition de l'*Aduersus Hermogenem*, Ultraiecti/Antverpiae 1956.

68. Cf. « Prolegomena ad una futura edizione », p. 297-302 ; J.-C. FREDOUILLE, *SC* 280, p. 51.

fait pas de doute que l'*Agobardinus* doit être considéré comme le manuscrit qui a la priorité : il a conservé un texte qui est le meilleur, non seulement en ce qui concerne purement et simplement le sens, souvent déformé d'une manière effrayante, jusqu'à en être incompréhensible, dans le *Corpus Cluniacense*, tel qu'il était réduit au XVe siècle ; mais parfois il a conservé encore des structures de syntaxe et des particularités typiques du style de Tertullien. L'*Agobardinus* a en outre conservé le texte de l'oracle de Prisca, la prophétesse montaniste, et les termes de Tertullien qui l'introduisent, alors que le *Corpus Cluniacense,* pour des motifs évidents de caractère dogmatique, les a supprimés. Il n'y a donc pas de doute que l'établissement du texte doit prendre pour base l'*Agobardinus* et ne s'en éloigner que lorsque c'est absolument nécessaire[69].

Mais, bien qu'il soit de valeur nettement inférieure, le *Corpus Cluniacense* ne peut être écarté quand on doit établir le texte du *De exhortatione castitatis.* Son utilité consiste moins à offrir quelques leçons dignes d'être retenues (l'*Agobardinus* présentant d'ailleurs dans ces cas des erreurs sans grande importance), qu'à permettre de combler des lacunes constatées dans le meilleur manuscrit (*A*).

Une caractéristique du *Corpus Cluniacense* (qui bien que déjà relevée par Kroymann[70], n'a pas été étudiée systématiquement pour toutes les œuvres de Tertullien) a été la modification du texte là où les paroles de Tertullien, telles que nous pouvons les lire dans l'*Agobardinus*, apparaissent entachées d'encratisme ou de montanisme (un exemple auquel il a déjà été fait allusion, c'est justement l'oracle de Prisca). Des modifications dans les passages coupables d'encra-

---

69. Cf. les observations de J. Fontaine, dans son édition du *De corona*, Paris 1966, p. 31-32.

70. Cf. *Tertulliani opera ex recensione* Ae. Kroymann, *CSEL* 67, Vindobonae 1906, p. XI.

tismes, aux yeux de l'orthodoxie, se lisent surtout au chapitre 9, où est développé le raisonnement, typiquement sophistique, qui met sur le même plan mariage et *stuprum*. Dès le commencement du chapitre, ce que Tertullien veut énoncer (*non aliud dicendum erit secundum matrimonium quam species stupri* : ainsi en est-il dans *A*), est modifié en sens contraire (*non illud dicendum erit secundum matrimonium quasi speciem stupri*). Plus loin (§ 1, fin), l'affirmation générale (*... ea in illo deprehenduntur quae stupro competunt*) est ramenée au seul point de vue de Tertullien (*ea in illo reprehendo quae stupro competunt*). Une autre affirmation modifiée intentionnellement se trouve au § 2. Tertullien affirme : *nisi si potest duci uxor quam non uideris nec concupieris,* pour mettre sur le même plan mariage et concupiscence ; le *Corpus Cluniacense* cherche à établir de quelque façon la légitimité de la concupiscence dans le mariage, en ajoutant : *saltem cum ipsam ducere coeperis.* Plus importantes encore sont les modifications du § 3 : laissant de côté les autres, observons que dans l'*Agobardinus* on lit : *...nec per aliud tamen fit marita* (c'est-à-dire la femme) *nisi per quod et adultera. Leges uidentur matrimonii et stupri differentiam facere, per diuersitatem inliciti non per conditionem rei ipsius.* Dans le *Corpus Cluniacense* on lit : *nec per alium fit marita nisi per quem et adultera* (c'est-à-dire que ce n'est pas le mariage en soi qui est condamné, mais l'homme). *Legis matrimonii uidetur differentia,* sans autre précision, de sorte que la *differentia legis* pourrait être simplement le fait que, si la loi divine est observée, la femme est une *marita,* si la loi est violée, la femme devient une *adultera.* Un peu plus loin : *... commixtio carnis, cuius concupiscentiam dominus stupro* (leçon de *A* : *non stupro NFXR*) *adaequauit.* Ce critère consistant à voir dans le *Corpus Cluniacense* une réélaboration « orthodoxe » des affirmations d'encratisme de Tertullien conservées dans l'*Agobardinus,* pourrait être appliqué à tout le chapitre.

Particulièrement périlleuses pour le correcteur du *Corpus Cluniacense* étaient certaines affirmations de Tertullien relatives à l'Église. Laissant de côté une modification (qui de toute façon semble ici voulue) du *Corpus Cluniacense* corrigeant la distinction entre les apôtres, *qui proprie spiritum sanctum habent*, et ceux qui ne sont pas apôtres, qui possèdent l'esprit (*ex parte*, selon l'*Agobardinus, quasi ex parte* selon *NFXR* (4,6), c'est le problème du sacerdoce des laïcs qui semble le plus grave pour le lecteur orthodoxe Quand il n'y a pas de hiérarchie ecclésiastique, dit l'auteur dans 7,3, *et offers et tinguis et sacerdos es tibi solus* (leçon de *A*) ; mais pour *NFXR et offert et tinguit sacerdos. Est ibi solus.* Un peu plus loin, on lit dans *A* (§ 6) : *omnes nos deus ita uult dispositos esse, ut ubique sacramentis eius obeundis apti simus.* Le lecteur médiéval a supposé que, ici encore, il est fait allusion au sacerdoce des laïcs et il a introduit la modification suivante : ... *et ubique sanctionis eius obeundis,* reliant ces paroles à la phrase suivante, très concise : *unus deus, una fides, una et disciplina (A), obeundis disciplina (Corpus Cluniacense).* Même l'affirmation de 10,1 pouvait paraître presque cruelle (comme elle l'est en effet) : *rape occasionem* (celle de la mort de la femme), *etsi non exoptatissimam, attamen opportunam, non habere cui debitum solueres et a quo exsoluereris. Desisti esse debitor : o te felicem !* Le correcteur a fait des modifications et s'est servi... de ciseaux : ... *etsi non exhortatissimam, at tamen desisti habere cui debitum solueres. O te felicem.* Une analyse spécifique pourrait trouver d'autres exemples de ce genre.

L'*editio princeps* de Rhenanus basée, comme il a été dit, en ce qui concerne le *De exhortatione castitatis,* sur l'*Hirsaugiensis,* propose un texte gravement corrompu. Il ne pouvait pas en être autrement après ce qui a été dit de la valeur du *Corpus Cluniacense* : en beaucoup de passages, il est pratiquement incompréhensible, et l'art de corriger Tertullien apparaît précisément avec Rhenanus. Quelques modifications furent faites par lui *inter scribendum* (cela se déduit de la comparaison avec *F* et *X*) et des conjectures pour d'autres modifications furent apportées en marge.

Très vite cependant Rhenanus lui-même prépara une seconde édition (*R*²), plus élaborée et accompagnée de notes critiques et de corrections (Basel, Froben 1528, p. 567-583). L'état pitoyable dans lequel se trouvait le texte et les difficultés de compréhension étaient apparus clairement à l'éditeur lui-même ; aussi plus d'une fois se lamente-t-il dans les « Adnotationes ». Cependant, parmi les éditions de Rhenanus (pour le *De exhortatione castitatis*, bien entendu, car, pour les autres œuvres de Tertullien on ne peut pas dire la même chose), la seconde est celle qui fait le plus clairement apparaître l'art avec lequel l'éditeur savait corriger le texte de Tertullien.

En effet, Rhenanus, guidé par sa connaissance de l'auteur améliore son texte et fait des conjectures qui parfois reconstituent la leçon exacte, qui sera confirmée un siècle plus tard par la découverte de l'*Agobardinus*. De ce point de vue, la 3ᵉ édition (*R*³, Basel, Froben 1539, p. 644-655) est moins significative. Le *Gorziensis* lui-même, maintenant perdu, qui pour d'autres œuvres de Tertullien se révèle précieux (par exemple, pour l'*Aduersus Marcionem*), est de peu d'utilité pour le *De exhortatione castitatis*. Pour s'en tenir aux rares citations qu'en fait Rhenanus, il ne se révèle pas très supérieur à *N*, à la famille duquel, comme on le sait, appartenait le *Gorziensis* : les corrections effectuées par Rhenanus à partir du *Gorziensis* et représentant vraiment une amélioration du texte sont peu nombreuses. Pour cette raison, la troisième édition de Rhenanus n'a pas pris le caractère d'une édition fondamentale sur laquelle se baseraient par la suite les éditions postérieures (ce qu'on appelle la *uulgata*), comme cela était arrivé, par exemple pour l'*Aduersus Marcionem*, où le texte de *R*³ ne fut dépassé seulement que quatre siècles plus tard avec l'édition de Kroymann. La troisième édition de

Rhenanus servit de base aux éditions suivantes (inférieures en fait par l'acuité critique), de Mesnart (Paris 1545), de Gelenius (Basel, Froben 1550), de Pamelius (Antwerpen 1579). Le texte du *De exhortatione castitatis* n'a pas reçu, avec ces éditions, une amélioration substantielle, bien que Pamelius l'accompagne de quelques notes utiles : il en est ainsi parce qu'aucun de ces éditeurs n'avait eu accès à une branche différente de la tradition, c'est-à-dire à l'*Agobardinus*. Pour cette raison, nous n'avons pas cru nécessaire de tenir compte systématiquement de leurs leçons, à la différence de ce que nous faisons pour l'édition de Rigault. Le mérite d'avoir établi le texte de cet opuscule de Tertullien sur de nouvelles bases revient en effet à ce savant, dont l'édition publiée à Paris (1634, p. 119-125 ; Observationes », p. 134-139), met à profit l'*Agobardinus,* conservé à la Bibliothèque Nationale[71]. L'édition de Rigault est, pour le *De exhortatione castitatis,* la meilleure de toutes celles qui ont été publiées jusqu'à aujourd'hui. Le critique s'appuie non plus sur les éditions précédentes, comme cela avait été fait précédemment, mais sur un nouveau manuscrit — et ce manuscrit s'est révélé le meilleur. Rigault corrige avec sagesse et équilibre, et montre (même s'il le confirme trop rarement dans ses courtes notes) une bonne connaissance de l'usage de Tertullien. Entièrement basée sur l'édition de Rigault, trente ans plus tard (Paris 1664) parut l'édition de Priorius qui de toute façon ne peut pas rivaliser avec elle ; et ensuite seule l'édition d'Oehler (Leipzig, 1853-1854) mériterait d'être signalée. Les défauts de l'édition d'Oehler — soulignés et exagérés, surtout par Kroymann[72] —, sont connus. Il y en a essentiellement deux : Oehler se base, outre l'*Agobardinus,* sur deux manuscrits *deteriores* (le *Leidensis* et le *Vindobonen-*

---

71. En lisant notre apparat critique, le lecteur se souviendra que, sauf indication contraire, la leçon de Rigault est celle de l'*Agobardinus.*

72. Cf. *Tertulliani opera* etc., p. XXIX s.

sis, maintenant *Neapolitanus*), collationnés de manière défectueuse, et ses conjectures sont souvent copiées sur celles de Rigault. Malgré cela, ce texte demeure assez équilibré, bien que dépourvu d'originalité, et il n'est donc pas inférieur à celui que publia Kroymann (*CSEL* 70, 1942). Celui-ci, en plus des mss *A* et *F* ainsi que la première édition de Rhenanus, utilisa *N* qu'il avait lui-même vanté dans une dissertation parue à Vienne quarante ans plus tôt[73] ; cependant il négligea *X* découvert quelques années auparavant par Borleffs[74]. L'appareil critique est cependant assez souvent défectueux et imprécis ; le texte est fréquemment corrigé de façon malheureuse, comme les savants l'ont souvent reconnu ; en revanche on y trouve telle ou telle conjecture qui mérite d'être notée. Le mérite principal de Kroymann dans le volume 70 du *CSEL*, comme dans le volume 42 qui le précède (Wien 1906), a été d'avoir étudié et illustré de manière adéquate, comme personne ne l'avait fait avant lui, la tradition manuscrite.

La présente édition enfin s'appuie sur une nouvelle collation des manuscrits *A* d'une part, et *NFX* d'autre part ; de ces trois derniers, souvent fautifs cependant, nous n'indiquons dans l'apparat critique que ses concordances dans les erreurs. Sont exclues les *lectiones singulares* dépourvues de signification. Outre R^1 et R^3 imparfaitement collationnés par Oehler et Kroymann, nous avons collationné aussi R^2 à l'exemple de Waszink[75]. Nous notons par le sigle *R*, le consensus des trois éditions de B. Rhenanus.

En outre, la très récente édition, procurée par J.-C. Fredouille, de l'*Aduersus Valentinianos* (*SC* 280-281, Paris 1981) a permis d'élargir ultérieurement nos connaissances de la tradition manuscrite du *De exhortatione castitatis*, même

---

73. Cf. E. KROYMANN, « Kritische Vorarbeiten », p. 11 s.

74. Voir *supra*, note 65.

75. Dans son édition de l'*Aduersus Hermogenem*, citée *supra*, note 67.

si, de ces connaissances, n'ont pas découlé des avantages sensibles pour une reconstruction du texte. Nous faisons allusion aux leçons du manuscrit *Diuionensis* (*D*), collationné par Rigault en 1628 et dont Pithou et Saumaise avaient enregistré quelques variantes en marge d'une copie de l'édition de Gelenius en leur possession. J.-C. Fredouille a pu se servir des collations du *Diuionensis*, que lui avait fait connaître le Professeur Petitmengin ; et nous-même, dans la présente édition, avons utilisé une liste des leçons du *D*, grâce à la générosité du même savant.

Quelle est la position de *D* dans le cadre de la tradition manuscrite du *De exhortatione castitatis* ? Il est indéniable qu'il est un frère jumeau de *N*. Un examen d'ensemble des leçons du *Diuionensis* nous conseille de suivre l'opinion de J.-C. Fredouille (*o.c.*, p. 56-58) qui pense qu'aussi bien *N* que *D* dérivent du *Montepessulanus* (mais celui-ci comme nous l'avons déjà dit, ne contient pas actuellement le *De exhortatione castitatis*). Bien que tous trois dérivent du *Montepessulanus*, *N* et *D* sont toutefois indépendants de *G* (*Gorziensis deperditus*). Sur *G* on peut lire encore les observations de J.-C. Fredouille, *ibidem*.

Que *N* et *D* soient dérivés du *Montepessulanus* indépendamment l'un de l'autre pourrait être confirmé, nous semble-t-il, par le cas suivant :

Chap. 3,13 cum quae minus uult *A* : quam quae uult ea quae minus uult *DFXR*[1], *om. N*.

Chap. 4,29 inquis *A coni. R*[1] : inquid *DFXR*[1], *om. N*.

BIBLIOGRAPHIE SOMMAIRE

Œuvres de caractère général

K. Adam, *Der Kirchenbegriff Tertullians*, Paderborn 1907.

A. d'Alès, *La Théologie de Tertullien*, Paris 1905.

Cl. Aziza, *Tertullien et le judaïsme*, Paris 1977.

O. Bardenhewer, *Geschichte der altkirchlichen Literatur*, Freiburg II, 1914.

T.D. Barnes, *Tertullian. A Historical and Literary Study*, Oxford, 1971.

W. Bender, *Die Lehre über den Heiligen Geist bei Tertullian*, Munich 1961.

A. Benoît, *Le baptême chrétien au second siècle*, Paris 1953.

R. Braun, *Deus Christianorum. Recherches sur le vocabulaire doctrinal de Tertullien*, Paris 1977².

H. Finé, *Die Terminologie der Jenseitsvorstellungen bei Tertullian*, Bonn 1958.

J.-Cl. Fredouille, *Tertullien et la conversion de la culture antique*, Paris 1972.

H. Karpp, *Schrift und Geist bei Tertullian*, Gütersloh 1955.

P. de Labriolle, *La crise montaniste*, Paris 1913.
Les sources de l'histoire du montanisme, Fribourg-Paris 1913.

G. Ludwig, *Tertullians Ethik*, Leipzig 1885.

J. Moingt, *Théologie trinitaire de Tertullien*, 4 vol. Paris 1966-69.

P. Monceaux, *Histoire littéraire de l'Afrique chrétienne* I, Paris 1901.

H. Preisker, *Christentum und Ehe in den ersten drei Jahrhunderten*, Berlin 1927.

Cl. Rambaux, *Tertullien face aux morales des premiers siècles*, Paris 1979.

V. Saxer, *Morts, martyrs, reliques en Afrique chrétienne aux premiers siècles*, Paris 1980.

M. Spanneut, *Le stoïcisme des Pères de l'Église*, Paris 1969².

Questions bibliques

R. Braun, « Tertullien et l'exégèse de 1 Co 7 », dans *Epektasis (Mélanges J. Daniélou)*, Paris 1972, p. 21-28.

J.M. Ford, « Saint Paul the Philogamist », *NTS* 11, 1965, p. 326-348.

T.P. O'Malley, *Tertullian and the Bible*, Nijmegen-Utrecht 1967.

H. Roensch, *Das Neue Testament Tertullians*, Leipzig 1871.

Questions relatives au mariage

J.B. Frey, « La signification des termes μόνανδρος et *uniuira* » *Rec SR*, 20, 1930, p. 48-60.

M. Humbert, *Le remariage à Rome, Étude d'histoire juridique et sociale*, Milano 1972.

B. Kötting, « *Vniuira* in Inschriften » dans *Romanitas et Christianitas. Studia I.H. Waszink... oblata*, Amsterdam - London 1973, p. 195-206.

P. de Labriolle, « Le mariage spirituel dans l'antiquité chrétienne », *Revue Historique* 46, 1921, p. 204-225.

C. Micaelli, « L'influsso di Tertulliano su Girolamo : le opere sul matrimonio e le seconde nozze », *Augustinianum*, 1979, p. 415-429.

C. Rambaux, « La composition et l'exégèse dans les deux lettres *Ad uxorem*, le *De exhortatione castitatis* et le *De monogamia* », *REAug*, 1976, p. 3-28 ; 201-217 ; 1977, p. 18-55.

F. Schultzen, « Die Benutzung der Schriften Tertullians *de monogamia* und *de ieiunio* bei Hieronymus adu. *Iovinianum* », *Neue Jahrb. für Deutsche Theol.* 3, 1894, p. 485-502.

C. Tibiletti, « Verginità e matrimonio in antichi scrittori cristiani » *AFLM*, 1969, p. 9-217.

Questions particulières

E. Fehrle, « Die kultische Keuschheit im Altertum » *RGVV* 6, 1910.

J.-C. Fredouille, « *Adu. Marc. I, 29*. Deux états de la rédaction du traité », *REAug*, 1967, p. 1-13.

H. Koch, « *Virgines Christi*. Die Gelübde der gottgeweihten Jungfrauen in den ersten drei Jahrhunderten », *Texte und Untersuchungen* 31,2, Leipzig 1907.

H. Pétré, *L'exemplum chez Tertullien*, Dijon 1940.

G. Wissowa, *Religion und Kultus der Römer*, Munich 1912.

Langue et Style

V. Bulhart, « Tertullian-Studien », *SAWW* 231,5 (1957).

A. Demmel, *Die Neubildungen auf - antia, - entia bei Tertullian*, Immensee 1944.

J. FONTAINE, *Aspects et problèmes de la prose d'art latine au troisième siècle*, Torino 1968.

H. HOPPE, *Syntax und Stil des Tertullian*, Leipzig 1903.

— *Beiträge zur Sprache und Kritik Tertullians*, Lund 1932.

E. LÖFSTEDT, *Kritische Bemerkungen zu Tertullians Apologeticum*, Lund 1918.

— *Zur Sprache Tertullians*, Lund 1920.

— *Syntactica*, Lund 1934.

Chr. MOHRMANN, *Études sur le latin des chrétiens*, t. 1, Roma 1961², t. 2, Roma 1961.

R.D. SIDER, *Ancient Rhetoric and the art of Tertullian*, Oxford 1971.

S.W.J. TEEUWEN, *Sprachlicher Bedeutungswandel bei Tertullian*, Paderborn 1926.

G. THOERNELL, *Studia Tertullianea* I-IV, Upsala 1918, 1921, 1922, 1926.

Critique textuelle

J.W.Ph. BORLEFFS, « Zur Luxemburger Tertullianhandschrift », *Mnemosyne*, s. III, 1935, p. 299-308.

E. KROYMANN, « Kritische Vorarbeiten für den III. und IV. Band der neuen Tertullian-Ausgabe » *SAWW* 143,6 (1900).

E. KROYMANN, « Die Tertullian-Ueberlieferung in Italien » *SAWW* 138,3 (1898).

C. MORESCHINI, Prolegomena ad una futura edizionze dell'*Aduersus Marcionem* di Tertulliano », *ASNP*, serie III, 35, 1966, p. 293-308 : 36, 1967, p. 93-102.

P. PETITMENGIN, « Le Tertullien de Fulvio Orsini », *Eranos* 59, p. 116-135.

J.H. WASZINK, Recension de l'ouvrage de W.P. Le Saint, *VChr*, 6, 1952, p. 183-190.

Traduction

W.P. LE SAINT, *Tertullian. Treatises on Marriage and Remarriage, (Ancient Christian Writers* 13) Westminster, Maryland 1951.

Autres éditions

Q.S.F. TERTULLIANI, *De anima*, Edited with Introduction and Commentary by J.H. Waszink, Amsterdam 1947.

TERTULLIEN, *De corona...* Édition, introduction et commentaire de J. Fontaine, Paris 1966.

TERTULLIEN, *La toilette des femmes (De cultu feminarum).* Introduction, texte critique, traduction et commentaire de M. Turcan, *SC* n. 173, Paris 1971.

TERTULLIEN, *La chair du Christ.* (*De carne Christi*) Introduction, texte critique, traduction et commentaire de J.-P. Mahé, *SC* n. 216-217, Paris 1975.

TERTULLIEN, *A son épouse* (*Ad uxorem*), Introduction, texte critique, traduction et notes de C. Munier, *SC* 273, Paris 1980.

TERTULLIEN, *Contre les Valentiniens* (*Aduersus Valentinianos*). Introduction, texte critique, traduction, commentaire et index de J.-C. Fredouille, *SC* n. 280-281, Paris 1980-81.

*
* *

Le texte italien de l'Introduction et du Commentaire a été traduit en français par F. Malley, o.p. Cette traduction a été revue par les auteurs. MM. René Braun, Professeur à l'Université de Nice, et Pierre Petitmengin, Bibliothécaire de l'École Normale Supérieure, ont bien voulu accepter de relire, respectivement, la traduction française et le commentaire du *De exhortatione castitatis* et de nous faire part de leurs suggestions. Nous les en remercions bien vivement. Les notes introduites dans le Commentaire par Jean-Claude Fredouille sont signalées par ses initiales.

CONSPECTVS SIGLORVM

A : Agobardinus, Paris, Bibliothèque Nationale, Lat. 1622, saec. IX.

N : Florentinus Magliabechianus Conv. Sopp. J. VI. 9, Firenze, Biblioteca Nazionale Centrale, saec. XV.

F : Florentinus Magliabechianus Conv. Sopp. J. VI. 10, Firenze, Biblioteca Nazionale Centrale, saec. XV.

X : Luxemburgensis, Luxembourg, Bibliothèque Nationale 75, saec. XV.

G : Gorziensis nunc deperditus, quem adhibuit Beatus Rhenanus in tertia editione sua.

D : *Divionensis* nunc deperditus, sed ex collatione Pithoei ex parte nunc notus.

*R*¹ : editio princeps Beati Rhenani, Basileae 1521.

*R*² : editio secunda Beati Rhenani, Basileae 1528.

*R*³ : editio tertia Beati Rhenani, Basileae 1539.

R : consensus editionum *R*¹, *R*², *R*³.

B : editio Martini Mesnart, Lutetiae 1545.

Iun. : notae Francisci Junii, Franekerae 1597.

Rig. : editio Nicolai Rigaltii, Lutetiae 1634.

Sem. : editio J.S. Semler, Halae Magdeburgicae 1770.

Oeh. : editio Francisci Oehler, Lipsiae 1854.

Krm. : editio Aemilii Kroymann, CSEL LXX, Vindobonae 1942.

Latinius : emendationes Latini Latinii ex Bibliotheca sacra et prophana a Dominico Macro Melitensi nunc primum e Bibliotheca Brancaccia in lucem edita, Romae 1677 (ubi inveniuntur etiam nonnullae adnotationes Petri Ciaconii).

Vrsinus : Fuluii Ursini lectiones adseruatae a Ioa. a Wouwer, Ad Q. Septimii Florentis Tertulliani Opera emendationes epidicticae, Francofurti 1603.

Waszink : censura a J.H. Waszink confecta anglicae translationis quam W.P. Le Saint edidit (Washington 1951), in : *Vigiliae Christianae* 6, 1952, p. 183-190.

TEXTE
ET TRADUCTION

.

DE EXHORTATIONE
CASTITATIS

I, 1. Non dubito, frater, te post uxorem in pace praemissam ad compositionem animi conuersum de exitu singularitatis cogitare et utique consilii indigere. Quamquam in huiusmodi cum fide sua conloqui debet unusquisque eiusque uires
5 consulere, tamen quoniam in ista specie carnis necessitas
cogitatum mouet, quae fere apud eandem conscientiam fidei
resistit, opus est fidei extrinsecus consilio tamquam aduocato
aduersus carnis necessitatem. 2. Quae quidem necessitas
facillime circumscribi potest, si uoluntas potius dei quam
10 indulgentia consideretur. Nemo indulgentia utendo promere-
tur, sed uoluntati obsequendo. 3. Voluntas dei est sanctificatio nostra[a]. Vult enim imaginem suam nos etiam similitudinem fieri[b], ut simus sancti, sicuti et ipse sanctus est[c]. Id
bonum, sanctificationem dico, in species distribuit complures,

---

Ad uxorem liber .II. explicit. incipit de exhortatione castitatis *A* :
INCIPIT DE EXHORTATIONE CASTITATIS *N* ; explicit tertulliani ad
scapulam. incipit tertulliani de exhortatione castitatis *F* ; Q. Septimii
Florentis Tertulliani Incipit liber de exhortatione castitatis *X*.

I, 1 pace *N FX R Oeh* : -cem A *Rig Krm* ‖ praemissam *N FX R* :
rem- *A* ‖ 3 consilii indigere *A Rig Oeh Krm* : consilium eligere *N*
consilium digere *uel* eligere *D* consilium digere *FX R*[1]*R*[2] consilium
dirigere *G R*[3] ‖ in *A Oeh Krm* : et *N FX R* ‖ 4 debet *A Rig Oeh* : -beat
N FX R Krm ‖ 5 necessitas *N FX R* : -tatis *A* ‖ 6 quae fere *A Rig* :
querere *FX R post* eandem *N* ‖ fidei *Rig Oeh Krm* : -dem *A* quae fidei
N FX R ‖ 7 resistit opus est fidei *om. N* ‖ consilio *A* : -lium *N FX R* ‖
aduocato *A*[pc] : -sato *A*[ac] -catum *N FX R* ‖ 8 carnis *A FX R* : -nem *ND*
‖ necessitatem *N FX R Krm* : -tes *A Oeh* ‖ 9 facillime *om. N FX R* ‖
10 indulgentia utendo *A* : -tiam audendo *N FX R* ‖ 13 simus *A*[pc] *N FX
R* : scim- *A*[ac] ‖ sicuti et *FX R* : sicut et *N* sicut *A Rig Oeh Krm* ‖ *post*
est *add.* inquit *N FX R* ‖ 14 distribuit *N FX R Krm* : -bui *A* -buo *Rig
Oeh* ‖

EXHORTATION
A LA CHASTETÉ

Occasion et objet   **I**, 1. Je n'en doute pas, frère,
du traité   depuis que ton épouse t'a
                 précédé dans la paix, tu t'es
appliqué à trouver la tranquillité de l'esprit et tu songes à sortir de ta condition d'homme seul ; et, naturellement, tu as besoin de conseils. Sans doute, en pareilles circonstances, chacun doit-il s'entretenir avec sa propre foi et consulter les forces dont elle dispose : mais comme, en l'espèce, les nécessités de la chair influencent la réflexion, en offrant presque toujours dans la même conscience une résistance à la foi, la foi a besoin de conseils étrangers qui la défendent, en quelque sorte, contre les nécessités de la chair.

En renonçant   2. Ces nécessités, certes, peu-
aux secondes noces,   vent être éliminées sans peine, si
nous gagnons   l'on prend en considération la
notre sanctification, volonté de Dieu plutôt que son
conformément   indulgence. On se gagne des
à la volonté de Dieu mérites non pas en usant de son
                 indulgence, mais en obéissant à
sa volonté. 3. Et la volonté de Dieu, c'est notre sanctification. Il veut, en effet, que nous, son image, nous devenions sa ressemblance, afin que nous soyons saints comme lui-même aussi est saint. Ce bien, je veux dire la sanctification, il l'a divisé en plusieurs espèces, afin que nous puissions être

---

a. cf. I Thess. 4, 3   b. cf. Gen. 1, 27   c. cf. Lév. 11, 44 ; 19, 2 ;
I Pierre 1, 16

15 ut in aliqua earum deprehendamur. 4. Prima species est uirginitas a natiuitate : secunda, uirginitas a secunda natiuitate, id
est a lauacro, quae aut in matrimonio purificat ex compacto,
aut in uiduitate perseuerat ex arbitrio : tertius gradus superest
monogamia, cum post matrimonium unum interceptum
20 exinde sexui renuntiatur. 5. Prima uirginitas felicitatis est,
non nosse in totum a quo postea optabis liberari : secunda
uirtutis est, contemnere cuius uim optime noris : reliqua species, hactenus nubendi post matrimonium morte disiunctum,
praeter uirtutis etiam modestiae laus est. Modestia est enim
25 ablatum non desiderare, et ablatum a domino deo, sine cuius
uoluntate nec folium de arbore delabitur nec passer assis
unius ad terram cadit[d].

II, 1. Quam denique modesta illa uox est : *Dominus dedit,
dominus abstulit, ut domino uisum est, ita factum est*[a]. Et
ideo si nuptias sublatas restauremus, sine dubio contra
uoluntatem dei nitimur, uolentes habere rursus quod habere

---

15 earum *N FX R* : earumdem *A* ‖ 16-17 a secunda natiuitate id est a
lauacro, quae ·*A Rig Oeh Krm* : ut ex arbitrio suo uidua maneat, cum
alibi dicas (dicat *ND*) dampnandam si nupserit, id est lauacro aque *ND
FX R*[1] ut ex arbitrio suo uidua maneat, id est lauacro aquae *R*[2] ut ex
arbitrio suo uidua maneat, id est a lauacro aquae *R*[3] ‖ 17 purificat *A N
FX R Oeh* -cato *coni. R*[2] *Krm in textu* ‖ 19 monogamia *A* : -miae *NFX
R* ‖ 20 prima uirginitas felicitatis est *A* : prima felicitas prima uirginitas
est *N FX R* ‖ 21 in totum — liberari *A Rig Oeh Krm* : a quo postea
optabis liberari in totum *N FX R* ‖ 21-22 secunda uirtutis est *A* :
secundae uirginitatis est *N FX R* ‖ 22 cuius uim *A* : uim quam *N FX R*
‖ reliqua *A R* : -quas *N FX* ‖ 23 hactenus *N FX R* : sanctae *A* ‖ 24
uirtutis *A* : -tes *N FX R* ‖ modestia est enim *A Rig Oeh Krm* : modestia
enim laus est *X* modestiae enim laus est *R om. ND F* ‖ 25 non *A R* :
tamen non *N* cum non *X* cum *F* ‖ et ablatum *A FX R* : ablatum *N*
ablatum. Tum *D* ut ablatum *Krm* ‖ domino deo *A*[pc] *Rig Oeh Krm* : deo
domino *N FX R* domino domino *A*[ac] ‖ 26 delabitur *A Rig Oeh Krm* :
labitur *N FX R*

---

d. cf. Matth. 10, 29

trouvés en possession de l'une d'entre elles. 4. La première espèce est la virginité depuis la naissance ; la seconde, la virginité depuis la seconde naissance, c'est-à-dire depuis le baptême, soit que, après entente des époux, elle apporte la purification dans le mariage, soit que, après une libre décision, elle persévère dans le célibat ; reste le troisième degré : la monogamie, lorsque, après dissolution du premier mariage, on renonce dès lors à la sexualité. 5. La première virginité est le propre de la félicité : c'est ignorer totalement ce dont ensuite tu souhaiteras être délivré ; la seconde est le propre de la vertu : c'est mépriser ce dont tu as pu si bien connaître la force ; la dernière espèce, celle du renoncement au mariage après la destruction d'une union par la mort, est non seulement l'honneur de la vertu, mais aussi celui de la modération. La modération, en effet, c'est ne pas regretter ce qui a été enlevé — et enlevé par le Seigneur Dieu, sans la volonté duquel pas une feuille ne se détache d'un arbre ni un passereau — coûterait-il un seul as — ne tombe à terre.

Le libre-arbitre face à l'indulgence et à la volonté divines : nous devons vouloir ce que Dieu veut

II, 1. Comme elle est pleine de modération, par exemple, cette parole : « Le Seigneur a donné, le Seigneur a enlevé, comme il a plu au Seigneur, ainsi a-t-il été fait ! ». Et c'est pourquoi, si nous reformons une union après que la première nous a été enlevée, il ne fait aucun doute que notre effort s'oppose à la volonté de Dieu, car nous voulons avoir de nouveau ce que Dieu n'a pas voulu que nous eussions. S'il l'avait voulu,

II, 1 dominus X R³ Rig Oeh Krm : deus N F R¹R² dominus dedit om. A ‖ 2 et om. N FX R ‖ 3 sublatas A Rig Oeh : ab- NFX R Krm ‖ sine NFX R Aᵖᶜ : sane Aᵃᶜ ‖ 4 habere rursus N FX R Oeh : haberetur A habere Krm

a. Job 1, 21

5 nos noluit. Si enim uoluisset, non abstulisset. Nisi si et hoc
uoluntatem dei interpretamur, quasi et rursus nos uoluerit
habere quod iam noluit. 2. Non est bonae et solidae fidei sic
omnia ad voluntatem dei referre, et ita adulari < sibi >
unumquemque dicendo nihil fieri sine nutu eius, ut non intel-
10 legamus esse aliquid in nobis ipsis. Ceterum excusabitur
omne delictum, si contenderimus nihil fieri a nobis sine dei
uoluntate, et ibit definitio ista in destructionem totius disciplinae, etiam ipsius dei, si aut quae non uult de sua uoluntate
producat, aut nihil est quod deus non uult. 3. Sed quomodo
15 uetat quaedam quibus etiam supplicium aeternum commina-
tur (utique enim quae uetat non uult, a quibus et offenditur),
sic et e contrario quae uult et praecipit et accepto facit et
aeternitatis mercede dispungit. Igitur cum utrumque ex prae-
ceptis eius didicerimus, quid nolit et quid uelit, tamen nobis
20 est uoluntas et arbitrium eligendi alterum, sicut scriptum est :
*Ecce posui ante te bonum et malum : gustasti enim de agni-
tionis arbore*[b]. 4. Et ideo non debemus quod nostro exposi-
tum est arbitrio in domini referre uoluntatem, quod non ipse
uult aut non uult quod bonum est qui malum non uult. Ita

5 si enim — abstulisset *N FX R Rig Oeh* : si enim uoluisset minime
abstulisset *Krm* minime abstulisset si enim uoluisset *A* ǁ si² *om. N FX
R* ǁ hoc *A Rig Oeh* : in hoc *N FX R* hoc in *Krm* ǁ 6 et rursus nos
uoluerit habere *A Rig Krm* : rursus uellet in nos *N FX R* et rursus
uoluerit habere *Oeh* ǁ 7 *post* noluit *add.* deus *N FX R* ǁ 8 ad *N FX R
Rig Oeh* : et *A* et in *Krm* ǁ sibi *add. Vrs Rig Oeh probante Waszink VC
1952, 189* ei *add. Krm* ǁ 9 nutu *A Rig Oeh Krm* : iussione *N FX R* ǁ
10 aliquid esse *transp. N FX R* ǁ *ante* in nobis *add.* et *Krm* ǁ 11
contenderimus *A Rig Oeh Krm* : continuerimus *N FX R* ǁ a *N FX R
Oeh Krm* : in *A Rig* ǁ 12 ibit *Rig* : hibit *A* ibi *N FX R* ǁ definitio *A Rig* :
-to *N R* diffinito *FX* ǁ ista in *A Rig* : istam *N FX R* ǁ 13 aut quae *A
Rig* : et quae *N X R* et me *F* ǁ 14 producat *A Rig Oeh Krm* : -cit *N FX
R* ǁ 16 enim *A Rig Oeh* : etiam *N FX R Krm* ǁ uetat *A*ᵖᶜ *NFX R* : -tant
*A*ᵃᶜ ǁ a quibus : ut quibum *Krm* ǁ 17 sic et e contrario *Oeh* : sicut e contrario *A Rig* sicuti et *N FX R* sicut et e contrario *Krm* ǁ et praecipit et
accepto facit *A Rig Krm* : praecipit et accipit *N FX R* praecipit et
accepto facit *Oeh* ǁ 18 mercede *A N R* : merce *FX* ǁ dispungit *A FX
R* : pungit *ND* ǁ igitur *A Krm* : itaque *NFX R Rig Oeh* ǁ *ante* utrumque
add. uult *A* ǁ 19 quid uelit et quid nolit *transp. N FX R Rig* ǁ tamen *A*

il ne nous l'aurait pas enlevé. A moins que nous y voyions encore la volonté de Dieu, en prétextant que, de nouveau, Dieu a voulu que nous eussions ce qu'il n'avait plus voulu. 2. Il n'appartient pas à une foi sincère et solide de tout rapporter de cette façon à la volonté de Dieu et de laisser ainsi chacun se flatter soi-même en disant que rien ne se fait sans son assentiment, sans comprendre qu'il y a quelque chose qui dépend de nous-mêmes. Au demeurant, toute faute aura une excuse si nous prétendons que nous ne faisons rien indépendamment de la volonté de Dieu, et une telle conception aboutira à renverser toute la discipline, et jusqu'à Dieu lui-même, si ce qu'il ne veut pas était suscité par sa volonté, ou bien si rien n'existe que Dieu ne veuille pas. 3. Mais de même qu'il interdit certaines choses pour lesquelles il va jusqu'à menacer du supplice éternel (naturellement, il ne veut pas ce qu'il interdit, et qui l'offense), de la même façon, inversement, ce qu'il veut, il l'ordonne, il le porte à notre compte, il le récompense par le salut éternel. Par conséquent, quand bien même nous connaissons ses deux ordres, ce qu'il ne veut pas et ce qu'il veut, il nous est laissé néanmoins la volonté et la liberté de choisir l'un des deux, selon qu'il a été écrit : « Voici que j'ai placé devant toi le bien et le mal : car tu as goûté à l'arbre de la connaissance ». 4. Et c'est la raison pour laquelle nous ne devons pas rapporter à la volonté de Dieu ce qui est laissé à notre libre arbitre, car il ne le veut pas, ou alors il ne veut pas ce qui est bien, lui qui ne veut pas le mal.

Rig Oeh : iam *N FX R* iam in *Krm* ‖ 20 et arbitrium *om. N FX R* ‖ 21 enim *om. A* ‖ 21-22 arbore agnitionis *transp. N FX R Rig* ‖ 22 : ideo *ANR* : deo *FX* ‖ nostro *A* : -tri *N FX R* ‖ 23 in domini *D Oeh* : in domino *A* in deum *N FX R¹R²* in dei *coni.R¹R² (unde R³) Rig* id domini *Krm* ‖ uoluntatem *coni.R¹R² (unde R³) Rig Oeh* : uoluntate *ND FX R¹R²* in uoluntatem eius *A* in uoluntatem eo *Krm* ‖ 23-24 quod non ipse uult aut non uult quod bonum est *A Oeh* : nos quoṣ uult ipse et uelle est *ND FX R¹R²* est *secl. coni.R¹* quos uult ipse et uelle *R³ Rig* quod non ipse uult < quod malum est, qui bonum uult > aut non uult quod bonum est *Krm*

---

b. Sir. 15, 17-18 ; cf. Gen. 2, 17.

25 nostra est uoluntas, cum malum uolumus aduersus dei uoluntatem, qui bonum uult. 5. Porro si quaeris, unde uenit ista
uoluntas, qua quid uolumus aduersus dei uoluntatem, dicam :
ex nobis ipsis. Nec temere. Semini enim tuo respondeas
necesse est, siquidem ille princeps et generis et delicti Adam
30 uoluit quod deliquit. Neque enim diabolus uoluntatem ei
imposuit delinquendi, sed materiam uoluntatis subministra-
uit. Ceterum uoluntas ei de inobaudientia uenerat. 6. Proinde
et tu si non oboedieris deo, qui te proposito praecepto liberae
potestatis instituit, per uoluntatis libertatem uolens deuerges
35 in id quod deus non uult, et ita te putas a diabolo subuersum,
qui etsi quid uult te uelle quod deus non uult, non tamen facit
ut et uelis, quia nec tunc inuitos protoplastos ad uoluntatem
delicti subegit, immo neque inuitos neque ignorantes quid
deus nollet. 7. Vtique enim nolebat fieri, cui admisso mortem
40 destinabat. Ita diaboli opus unum est, temptare, quod in te
est, an uelis. At ubi uoluisti, sequitur ut te sibi subigat, non
operatus in te uoluntatem, sed nactus occasionem uoluntatis.
8. Igitur cum solum sit in nobis uelle, et in hoc probetur
nostra erga deum mens, an ea uelimus quae cum uoluntate

---

26 uenit *A Rig Oeh Krm* : -niat *N FX R* ‖ ista *FX R* : ista bona *N* ea *A*
‖ 27 *ante* dicam *add.* ut *N FX R* ‖ 28 nec *A FX R* : ne *ND* ‖ enim *om.*
N FX R ‖ tuo *om. ND* ‖ 29 et[1] *om. N FX R* ‖ 30 ei *A Rig Oeh Krm* :
eius *FX R¹R²* eis *coni. R²* *(unde R³) G ND* ‖ 31 uoluntatis *N FX R* : -tati
A Lat Rig Oeh Krm ‖ 32 ei de inobaudientia *Micaelli* : dei in obaudien-
tiam *A N FX R Rig Oeh* ei de dei inobaudientia *Krm* ‖ 33 oboedieris *A*
Oeh : obaud- *N FX R Rig Krm* ‖ deo *N FX R Rig Oeh* : domino *A Krm*
‖ 34 deuerges *A Rig Oeh Krm* : te uergi *N FX R¹R²* te mergi *D* deuer-
gis *R³* te mergis *coni. Salm.* ‖ 35 in id *A R³ Rig Oeh Krm* : sinit *N X*
R¹R² sunt *F* ‖ non uult *A Rig Oeh Krm* : noluit *N FX R* ‖ et *om. N FX*
R ‖ te putas a *A R³ Rig Oeh Krm* : deputat *N D FX R¹R²* ‖ 36 quid *om.*
N FX R Krm ‖ te uelle *N FX R* : euelle *A* ‖ 36-37 non tamen facit ut et
om. A ‖ 37 inuitos *N FX R Krm* : istos *A Rig Oeh* ‖ 38 delicti *N FX R* :
dilecti *A* ‖ 39 nollet *A N X R* : nolit *F* ‖ cui *N FX R Krm* : cum *A Rig*
Oeh ‖ 40 temptare *A N coni. R²* *(unde R³)* : temperare *F R¹R²* temprare
X ‖ 40-41 quod in te est, an uelis *FX R Rig* : an uelis quod in te est
ND an uelis qui ante est ut uelis *A* an uelis, quod in te est, ut uelis *Oeh*

Ainsi, c'est bien notre volonté à nous, quand nous voulons le mal à l'encontre de la volonté de Dieu, qui veut le bien. 5. Et si tu demandes d'où vient la volonté qui nous fait vouloir contre la volonté de Dieu, je dirai : de nous-mêmes. Et non sans raison. Tu ne peux, en effet, que ressembler à la semence d'où tu tires ton origine, puisque Adam, le premier homme et le premier pécheur, a voulu le péché qu'il a commis. Car le Diable ne lui a pas imposé la volonté de pécher : il lui a fourni l'occasion de sa volonté. Mais sa volonté avait eu la désobéissance pour origine. 6. Pareillement, si toi tu n'obéis pas à Dieu, qui t'a créé doté du pouvoir d'être libre à l'égard de l'ordre qu'il te soumet, tu inclineras volontairement, grâce à ta libre volonté, vers ce que Dieu ne veut pas, et tu te crois alors la victime du Diable : mais lui, même s'il veut que tu veuilles ce que Dieu ne veut pas, il ne fait pas que tu le veuilles aussi, car même nos premiers parents, il ne les a pas contraints alors à vouloir le péché malgré eux, que dis-je ? ni malgré eux ni sans savoir ce que Dieu ne voulait pas ! 7. Car, naturellement, Dieu ne voulait pas qu'eût lieu un acte pour l'accomplissement duquel il décidait la mort. Ainsi la seule œuvre du Diable est-elle d'éprouver si tu veux ce qui dépend de toi. Mais une fois que tu l'as voulu, il s'ensuit qu'il te soumet à lui, sans avoir agi sur ta volonté, qui dépend de toi, mais en ayant saisi l'occasion que lui fournissait ta volonté. 8. Ainsi donc, puisque vouloir dépend exclusivement de nous et que nous prouvons notre disposition d'esprit à l'égard de Dieu, dans la mesure où nous voulons ce qui est

an uelis, qua in te est, ut uelis *Krm* ‖ 41 at ubi *N FX R* : ad hubi *A* ‖ ut te *N FX R Oeh Krm* : ut et *A Rig* ‖ subigat *N FX R Oeh Krm* : subiungat *A Rig* ‖ 42 occasionem *A Rig Oeh Krm* : possessionem *FX R om.* *N* ‖ uoluntatis *A FX R* : -tatem *N* ‖ *post* uoluntatis *capita distinxit Krm* ‖ 43 sit *A Rig Oeh Krm* : erit *N FX R* ‖ et *om. N FX R* ‖ probetur *A Rig Oeh Krm* : -batur *N FX R* ‖ 44 erga *A Rig Oeh Krm* : in *N FX R* ‖ 44-45 cum uoluntate ipsius faciant *A Rig* : cum uoluntatem eius sapiant *N FX*, cum uoluntate eius sapiant *R* cum uoluntate ipsius faciunt *Oeh Krm*

45 ipsius faciant, alte et impresse recogitandam esse dico dei
uoluntatem, quid etiam in occulto uelit.

III, 1. Quae enim in manifesto, scimus omnes, eaque ipsa
qualiter in manifesto sint perspiciendum est. Nam etsi
quaedam uidentur uoluntatem dei sapere, dum ab eo permittuntur, non statim omne quod permittitur ex mera et tota
5 uoluntate procedit eius qui permittit. 2. Ex indulgentia est
quodcumque permittitur[a]. Quae etsi sine uoluntate non est,
quia tamen aliquam habet causam in illo cui indulgetur,
quasi de inuita uenit uoluntate, passa causam sui quae cogit
uoluntatem. Vide qualis sit uoluntas cuius alter est causa.
10 3. Secunda item species consideranda est, purae uoluntatis.
Vult nos deus agere quaedam placita sibi, in quibus non
indulgentia patrocinatur, sed disciplina dominatur. Si tamen
alia istis praeposuit, utique quae magis uult, dubiumne est ea
nobis sectanda esse quae mauult, cum quae minus uult, quia
15 alia magis uult, perinde habenda sunt atque si nolit ? 4. Nam
ostendens quid magis uelit, minorem uoluntatem maiore dele-
uit, quantoque notitiae tuae utramque proposuit, tanto

45 et impresse *A Rig Oeh Krm* : impresse *R* impressere *ND FX* ‖ recogitandam esse *A R* : cogitandam esse *ND* cogitandam esses *F* cogi-
tando esse *X*

III, 1 in *om. FX R¹R³* ‖ omnes *om. A Krm* ‖ 2 manifesto *N FX R Rig
Oeh* : -tis *A Krm* ‖ perspiciendum *N FX R Rig* : intus inspiciendum *A*
intus inspiciendis perspiciendum *Krm* ‖ etsi *A Rig Oeh Krm* : si *N FX
R* ‖ 3 ab eo *Hild Oeh Krm* : habeo *A* a deo *N FX R Rig* ‖ permittuntur
N FX R Rig Krm : rem- *A Oeh* ‖ 4 permittitur *A R* : -tetur *ND FX* ‖ 6
etsi *N F R* : et *X* est *A* ‖ 7 illo *A N Rig Oeh Krm* : loco *FX R* loco *uel*
illo *D* ‖ 9 *ante* cuius *add.* eius *N FX R* ‖ alter est *A* : altera sit *N FX R*
‖ 10 item *A* : iterum *N FX R* ‖ *ante* purae *add.* non *Vrs Rig Krm* ‖ 11
agere quaedam *om. N FX R* ‖ sibi placita *transp. N* [-ctica *F*]*X R Krm*
‖ 12 indulgentia *N^pc FX R* : -tiam *A N* ‖ patrocinatur *A coni.R² Rig
Oeh* : operatur patrocinatur *ND FX R¹* operatori patrocinatur *R³ Krm* ‖
13 istis *A Rig Oeh Krm* : ista *N FX R* ‖ praeposuit *A Rig Oeh Krm* :
praeponit *N G R³* proponit *FX R¹R²* ‖ 14 sectanda *A coni.R² Rig Oeh
Krm* : taxanda *ND FX R* ‖ cum quae minus uult *A Rig Oeh Krm* : quam

en accord avec sa volonté, je dis qu'il faut réfléchir de façon approfondie et pénétrante à la volonté de Dieu, pour connaître aussi ce qu'il veut en secret.

III, 1. En effet, sa volonté manifeste, nous la connaissons tous ; de quelle façon elle se manifeste, voilà ce qu'il faut examiner. Sans doute certaines choses paraissent-elles en accord avec la volonté de Dieu, du moment qu'il les permet : mais il ne s'ensuit pas que tout ce qui est permis procède de la volonté pure et totale de celui qui permet. 2. Tout ce qui est permis dérive de l'indulgence. Or si celle-ci n'est pas indépendante de la volonté (car, malgré tout, elle trouve quelque cause chez celui en faveur de qui on est indulgent), elle provient d'une volonté pour ainsi dire involontaire, ayant subi la cause qui a agi sur elle et qui contraint la volonté. Vois quelle sorte de volonté peut être celle de quelqu'un dont un autre est la cause ! 3. Il faut, de la même façon, considérer la seconde espèce, celle de la volonté pure. Dieu veut que nous accomplissions certaines actions qui lui sont agréables, qui n'ont pas l'indulgence comme patronage, mais la discipline comme maître. Si toutefois, il en a préféré d'autres à celles-ci, parce que, naturellement, il les veut davantage, est-il douteux que nous devions rechercher celles qu'il veut davantage, étant donné que celles qu'il veut moins, puisqu'il en veut d'autres davantage, doivent être considérées comme s'il ne les voulait pas ? 4. De fait, en montrant ce qu'il veut davantage, il a annulé une volonté inférieure par une volonté supérieure, et dans la mesure où il a soumis l'une et l'autre à ta connaissance, il a précisé que tu devais rechercher ce qu'il

quae uult ea quae minus uult *D FX* quam ea quae minus uult *R om. N* || 14-15 quia alia magis uult *A X Rig Oeh Krm* : qui a. m. u. *ND R om. F* || 15 perinde *Rig Oeh Krm* : prae- *A* pro- *N FX R* || atque si nolit *om. N FX R* || 16 ostendens quid *A Rig Oeh Krm* : ostendendo quae *R* ostendenda quae *FX* ostendo quae *N* || maiore *N FX R* : -rem *A*

a. cf. I Cor. 7, 6

definiit id te sectari debere quod declarauit se magis uelle.
Ergo si ideo déclarauit, ut id secteris quod magis uult, sine
20 dubio, nisi ita facis, contra uoluntatem eius sapis, sapiendo
contra potiorem eius uoluntatem, magisque offendis quam
promereris, quod uult quidem faciendo et quod mauult respuendo. 5. Ex parte delinquis ; ex parte, si non delinquis, non
tamen promereris. Non porro et promereri nolle delinquere
25 est ? Secundum igitur matrimonium si ex illa dei uoluntate
quae indulgentia uocatur, negabimus meram uoluntatem cui
indulgentia est causa, si ex ea cui potior alia praeponitur continentiae magis appetendae, didicerimus non potiorem a
potiore rescindi. 6. Haec praestruxerim, ut iam apostoli uoces
30 decurram. In primis autem non uidebor inreligiosus, si quod
ipse profitetur animaduertam, omnem illum indulgentiam
nuptiarum de suo, id est de humano sensu, non de diuino
praescripto induxisse[b]. Nam et cum de uiduis et innuptis
definiit[c] uti nubant, si continere non possunt, quia melius sit

---

18 definiit *A Rig Oeh Krm* : definiuit *F R* diffiniuit *X* difiniuit *N* ||
declarauit se *A Rig Oeh Krm* : parauit te *ND FX R¹R²* paruit eum *R³* ||
19 ut id *A Rig Oeh Krm* : uti *FX R* ut *ND* || secteris *A R* : setateris
F se teteris *X* a se ceteris *ND* || 20 eius sapis *N FX R Oeh* : dei
A dei sapiendo *ex Agobardini errata lectione Krm* || 21 magisque
N FX R Oeh : magis *A Krm* || 22 et quod mauult *A Rig Oeh* : mauult
ND FX R¹ quod mauult *coni. R¹ (unde R²R³)* sed quod mauult *Krm* ||
23 parte delinquis *N FX R* : patre delinqui *A* || ex parte si non delinquis
om. N FX R || 24 non porro *A Oeh Krm* : porro *N FX R Rig sine inter-
rogationis signo* || 25 *ante* secundum *rasura 16 litterarum in A* : *fuit*
nolle delinquere et *teste Krm* || igitur *A Rig Oeh Krm* : itaque *N FX R* ||
26 uocatur *A Rig Oeh Krm* : cogitur *N FX R* || negabimus *A coni. R²
(unde R³) Rig Oeh Krm* : -uimus *N FX R¹R²* || uoluntatem *om. N FX R
suppl. coni. R²* || 27 indulgentia *A coni. R¹R²* (unde R³) *Rig Oeh Krm* : in-
dulgenda *ND FX R¹R²* || ex *om. N FX R suppl. coni. R²* || 29 rescindi *Lat
Rig Oeh Krm* : rescindit *A* scindi *N FX R* || praestruxerim *N FX R Krm* :
-strinxerim *A Rig Oeh* || uoces *A* : -ce *N FX R* || 30 quod *A* : quid *N FX
R* || 31 profitetur *A Rig Oeh Krm* : profitetur continentiae magis appeten-
dae didicerim *N X R* profiteretur continentiae magis appetendae didicerim
F || *ante* animaduertam *add.* iam *N FX R* || illum *A ND Rig Oeh Krm* : il-
lam *FX R* || 33 praescripto *A coni. R²* : -tu *N FX R* || de uiduis et innuptis

avait fait savoir qu'il voulait davantage. Si donc il l'a fait
savoir pour que tu recherches ce qu'il veut davantage, sans
aucun doute, si tu ne le fais pas, tu manifestes des sentiments
contraires à la volonté de Dieu, en manifestant des sentiments contraires à sa volonté supérieure, et tu l'offenses plus
que tu ne gagnes de mérites en faisant certes ce qu'il veut,
mais en repoussant ce qu'il veut davantage. 5. D'un côté tu
commets un péché ; de l'autre, si tu n'en commets pas, tu
n'acquiers cependant aucun mérite. Pire encore, ne pas vouloir acquérir de mérites, n'est-ce pas pécher ? Par conséquent,
si un second mariage est conforme à la volonté de Dieu
qu'on appelle indulgence, nous devons affirmer que celle qui
a l'indulgence pour cause n'est pas sa volonté pure ; s'il est
conforme à la volonté qui en a une autre supérieure au-dessus
d'elle, celle qui recommande de rechercher plutôt la continence, nous savons qu'une volonté supérieure abolit celle qui
ne l'est pas.

Examen **de la Première Épître** **aux Corinthiens** **à la lumière** **des considérations** **précédentes** **I Cor. 7, 9**	6. J'ai voulu poser ces princi- pes pour pouvoir parcourir maintenant les déclarations de l'Apôtre. Et d'abord, je ne paraî- trai pas blasphémer, si je cons- tate, comme il le reconnaît lui- même, que toute son indulgence envers les noces a été tirée de

son propre fonds, c'est-à-dire d'un jugement humain, non
d'une description divine. En effet, quand à propos des personnes veuves ou non mariées il eut apporté cette précision : de
se marier, si elles ne peuvent garder la continence, parce que

---

A coni.R²(unde R³) Rig Oeh Krm : debuisset innuptiis *NDX* debuisses in
nuptiis *F* debuisset innuptis *R¹R²* ‖ 34 definiit *A Rig Oeh Krm* : -iuit *N*
FX R ‖ sit *A Rig Oeh Krm* : est *N FX R* esse *D*

---

b. cf. I Cor. 7, 6

35 nubere quam uri, conuersus ad alteram speciem : *Nuptis
autem denuntio*, inquit[d], *non quidem ego, sed dominus*. Ita
ostendit ex translatione personae suae in dominum id quod
supra dixerat non ex domini persona, sed ex sua pronuntiasse : *Melius est nubere quam uri*[e]. 7. Quae uox licet ad eos
40 pertineat qui innupti uel uidui a fide deprehenduntur, quia
tamen omnes eam ad nubendi licentiam amplectuntur, uelim
retractare quale bonum ostendat quod melius est poena, quod
non potest uideri bonum nisi pessimo comparatum, ut ideo
bonum sit nubere, quia deterius sit ardere. 8. Bonum ita est,
45 si perseueret nomen obtinens sine comparatione, non dico
mali, sed etiam boni alterius, ut, etsi bono alii comparatur et
alio adumbratur, nihilominus remaneat in boni nomine. Ceterum si per mali collationem cogitur bonum dici, non tam
bonum est quam genus mali inferioris, quod a superiore malo
50 obscuratum ad nomen boni impellitur. 9. Aufer denique condicionem comparationis, ut non dicas : *Melius est nubere
quam uri*[f], et quaero an dicere audeas : *Melius est nubere*[g],
non adiciens quid sit id quo melius est. Ergo quod non
melius, utique nec bonum, quia abstulisti et remouisti condi-

35 nubere *A Rig Oeh Krm* : -bi *N FX R* ‖ alteram *A Rig Oeh Krm* :
aliam *N FX R* ‖ 36 quidem *om. N FX R* ‖ ita *FX R Rig Oeh* : ista *A N
Krm* ‖ 37 ex translatione *A Oeh Krm* : extra rationem *N FX R* ex trala-
tione *Rig* ‖ in dominum *Rig Oeh* : in domino *A* in deum *N FX R[1]R[2]*
dominum *R[3]* in domini *Krm* ‖ 38 dixerat *N FX R* : -rant *A* ‖ non ex
domini persona *A Rig Oeh Krm* : id non ex domini persona *N* id non ex
persona domini *FX R* ‖ 39 melius — quam uri *secl. Krm* ‖ est nubere *A
Rig Oeh Krm* : esse nubi *N FX R* ‖ uox *N FX R Rig Oeh* : uoluntas *A
Krm* ‖ 40 innupti uel uidui *Rig Oeh Krm* : nupti uel uidui *A* sunt nupti
uel uidue *N FX R* nupti *etiam D* ‖ a fide deprehenduntur *om. N FX R* ‖
quia *A Rig Oeh Krm* : qui *N FX R* ‖ 41 omnes eam ad *om. N FX R* ‖
42 retractare *N FX R Krm* : per- *A Rig Oeh* ‖ 44 sit[2] *A* : est *FX R Rig
om. ND Krm* ‖ ardere bonum ita est *om. A* ‖ est *coni.R[1] (unde R[3]) Rig
Oeh Krm* : et *ND FX R[1]R[2]* ‖ 45 perseueret *A Rig Oeh Krm* : per se *N
FX R* ‖ nomen *A Rig Oeh* : nomen hoc *N FX R Krm* ‖ obtinens *A Rig
Oeh Krm* : obtinet *N FX R* ‖ sine *A N FX R* : in *Krm* ‖ 46 alii *A R* : -io
N FX ‖ 47 *ante* alio *add.* ab *N FX R* ‖ nihilominus *A N R* : nichil
omnino *FX* ‖ in — nomine *A R[2]R[3] Rig Oeh Krm* : id — nominis *ND FX
R[1]* ‖ 48 collationem *N FX R Krm* : conditionem *A Rig Oeh* ‖ bonum

mieux vaut se marier que de brûler, il s'est tourné vers la
seconde catégorie : « Et à ceux qui sont mariés, je le déclare,
a-t-il dit, non pas moi, mais le Seigneur... » Par ce changement de personne, de son nom à celui du Seigneur, il montre que ce qu'il avait dit plus haut il l'avait prononcé non pas
au nom du Seigneur, mais en son nom propre : « Mieux vaut
se marier que de brûler ». 7. Cette parole assurément
s'adresse à ceux que la foi trouve dans le célibat ou dans le
veuvage : toutefois, comme tout le monde s'en saisit pour
permettre le mariage, je voudrais examiner quelle sorte de
bien est indiquée par ce qui vaut seulement mieux qu'un châ-
timent et qui ne peut paraître un bien que par comparaison
au pire, de sorte qu'il est bien de se marier pour la raison
qu'il est plus mauvais de brûler. 8. Une chose est un bien si
elle conserve ce nom indépendamment de toute comparaison,
je ne dis pas au mal, mais même à un deuxième bien, de telle
sorte que, même comparée à un autre bien et éclipsée par cet
autre bien, elle conserve néanmoins son nom de bien. Mais si
on est forcé de la rapprocher du mal pour dire qu'elle est un
bien, c'est moins un bien qu'un genre de mal inférieur, qui se
voit masqué par un mal supérieur et propulsé jusqu'au nom
de bien. 9. Supprime par exemple l'élément de la comparaison, de manière à ne plus dire : « Il est meilleur de se marier
que de brûler », et je te demande si tu oses dire : « Il est
meilleur de se marier », sans ajouter quelle est cette chose par
rapport à laquelle c'est meilleur. Par conséquent ce qui n'est
pas meilleur n'est pas bon non plus, naturellement, parce que

om. N FX R ‖ 50 aufer denique A *coni.* R^2 *(unde R^3)* Rig : auferendique
ND FX R^1R^2 ‖ condicionem A Rig Oeh Krm : dicionem ND F dictionem X R^1R^3 condicionem *uel* indictionem *coni.* R^1 *(unde* conditionem
R^2*)* ‖ 51 dicas N FX R : discas A ‖ melius est nubere *secl.* Krm ‖ 52
dicere N FX R : dicicere A ‖ 53 quid sit id quo melius est R^3 Rig Krm :
quid sit fieri melius est ND FX R^1R^2 quid sit melius A quid sit id quod
melius est Oeh ‖ ergo R^3 Rig Oeh Krm : ergo fieri ND FX R^1R^2 ergo
quod non melius *om.* A ‖ 54 quia N FX R : qui A ‖ condicionem A Rig
Oeh Krm : indicionem ND FX R^1R^2 dictionem R^3

c. cf. I Cor. 7, 9   d. cf. I Cor. 7, 10   e. cf. I Cor. 7, 9   f. *ibid.*
g. *ibid.*

55 cionem comparationis, quae dum melius illud facit, ita
bonum haberi cogit. 10. *Melius est nubere quam uri*[h] sic acci-
piendum est, quomodo melius est uno oculo quam duobus
carere : si tamen a comparatione discedas, non erit melius
unum oculum habere quia nec bonum. Nemo igitur captet ex
60 hoc capitulo defensionem, quod proprie ad innuptos et
uiduos spectat, quibus nulla adhuc coniunctio numeratur.
Quamquam ostenderim etiam illis intellegendam esse per-
missi condicionem.

IV, 1. Ceterum de secundo matrimonio scimus plane
apostolum pronuntiasse[a] : *Solutus es ab uxore, ne quaesieris*
uxorem, sed etsi duxeris, non delinques. Perinde tamen et
huius sermonis ordinem de consilio suo, non de diuino prae-
5 cepto introducit[b]. Multum autem interest inter dei praeceptum et consilium hominis. *Praeceptum domini*, inquit[c], *non*
habeo, sed consilium do, quasi misericordiam consecutus a
domino fidelis esse. 2. Ceterum neque in euangelio neque in
ipsius Pauli epistolis ex praecepto dei inuenias permissam
10 matrimonii iterationem. Vnde unum habendum confirmatur,
quia quod a domino permissum non inuenitur, id agnoscitur
interdictum. Adde quod et haec ipsa humani consilii interiec-

---

55 *post* facit *add.* alio malo *Krm add.* alio *R*[2] ‖ 56 haberi *A R*[2]*R*[3] : ita
habere *ND FX R*[1] ‖ melius est *A Rig Oeh* : melius esse *N FX R* ita
melius est *Krm* ‖ nubere *A Rig Oeh Krm* : -bi *N FX R* ‖ 57 quomodo *A*
Rig Oeh Krm : ac si *N FX R* ‖ est *om. N FX R* ‖ 59 *ante* habere *add.*
non *N FX R* ‖ quia nec bonum *A Lat Rig Oeh Krm* : quam et bonum *N*
FX R ‖ 60 innuptos *A* : nuptos *ND FX R* ‖ 61 uiduos *A ND FX* : uiduas
R ‖ 62 intellegendam esse *A Rig Oeh Krm* : numerandam esse *N X*
R[2]*R*[3] numerandam esses *F R*[1] numerandum esses *D*

---

h. I Cor. 7, 9

IV, 1 plane *A* : tamen *N FX R* ‖ 3 etsi *N FX R Krm* : si *A Rig Oeh* ‖
delinques *N FX R Oeh* : -quis *A Rig Krm* ‖ perinde *A* : pro- *N FX R* ‖ 4
ordinem *A FX R* : -nis *ND* ‖ de[1] *om. N FX R* ‖ 5 introducit *codd. edd.* :
duxit *Oeh tacite* ‖ 6 domini *A Rig Oeh Krm* : dei *N FX R* ‖ 7 consecu-

tu as supprimé et fait disparaître l'élément de la comparaison
qui, en faisant de cela quelque chose de meilleur, force à le
tenir pour bon. 10. « Il est meilleur de se marier que de
brûler » doit donc être interprété de la même façon que : il
vaut mieux perdre un œil que les deux ; mais si tu renonces à
la comparaison, il ne vaut pas mieux n'avoir qu'un œil, car
ce n'est pas non plus un bien. Qu'on n'aille donc pas chercher à s'autoriser de ce passage, qui ne concerne proprement
que les gens non mariés ou les personnes veuves pour lesquelles le lien conjugal antérieur n'entre pas en compte. Mais
j'ai montré qu'ils doivent comprendre eux aussi les attendus
de la permission.

I Cor. 7, 27-28   **IV, 1.** Nous savons d'ailleurs
que sur les secondes noces
l'Apôtre s'est clairement prononcé : « Tu es délié d'une
femme ? ne cherche pas de femme ; mais si tu te maries, tu ne
pècheras pas ». Toutefois ce développement est tiré également
de son propre avis, non d'un ordre divin. Or il y a une grande
différence entre un précepte de Dieu et l'avis d'un homme.
« Je n'ai pas de précepte du Seigneur, dit-il, mais je donne un
avis, comme quelqu'un qui a obtenu du Seigneur la grâce
d'être son fidèle ». 2. D'ailleurs ni dans l'*Évangile* ni dans les
Épîtres de Paul lui-même on ne trouve que la permission de
se remarier dérive d'un précepte de Dieu. D'où la confirmation qu'on ne doit contracter qu'un seul mariage, car ce que
l'on ne trouve pas comme étant permis par le Seigneur est
reconnu comme interdit. Ajoute que cette insertion d'un avis
humain, comme si elle acceptait de reconsidérer ses excès, se

tus *N FX R* : secutus *A* ‖ 7-8 a domino *om. N FX R* ‖ 8 fidelis *N FX R* :
-les *A* ‖ ceterum *A Rig Oeh Krm* : quoniam *N X R* quam *F* ‖ in^2 *om. N
FX R* ‖ 9 inuenias *N FX R* : peruen- *A* ‖ 10 iterationem *Merc Oeh
Krm* : rat- *A* separat- *N FX R Rig* ‖ 11 agnoscitur *N FX R Oeh Krm* :
ign- *A Rig* ‖ 12 interdictum *om. A Rig* ‖ adde *A FX R* : ad *ND* ‖
humani *A* : huius *N FX R* ‖ interiectio *N FX R* : -tionem *A*

a. I Cor. 7, 27-28   b. I Cor. 7, 25   c. I Cor. 7, 25

tio, quasi iam recogitationem excessus sui passa, statim se
refrenat et reuocat, cum subiungit[d] : *Verumtamen huiusmodi*
15 *pressuram carnis habebunt*, cum parcere se eis dicit[e], cum
Tempus in collecto esse adicit[f], quo oporteat etiam habentes
matrimonia pro non habentibus agere[g], cum sollicitudinem
nuptorum et innuptorum committit[h]. 3. Per haec enim docens
20 cur non expediat nubere, dissuadet ab eo quod supra indulserat. Et hoc de primo matrimonio : quanto magis de secundo ?
Cum uero nos ad exemplum suum hortatur[i], utique ostendens
quid nos uelit esse, id est continentes, pariter declarat quid
nos esse nolit, id est incontinentes. Ita et ipse cum aliud uult,
25 id quod non uult nec sponte nec ueritate permittit. Si enim
ucllet, non permisisset, immo imperasset. 4. 'Sed ecce rursus
mulierem marito defuncto dicit nubere posse, si cui uelit, tantum in domino'[l]. *At enim felicior erit,* inquit[m], *si sic per-*
manserit, secundum meum consilium. Puto autem, et ego dei
30 *spiritum habeo.* Videmus duo consilia, quo supra nubendi
ueniam facit, et quo postmodum continentiam nubendi docet.
5. Cui ergo, inquis, assentabimur ? Inspice et lege. Cum
ueniam facit, hominis prudentis consilium allegat, cum continentiam indicit, spiritus sancti consilium affirmat[n]. Sequere
35 admonitionem cui diuinitas patrocinatur. Spiritum quidem
dei etiam fideles habent, sed non omnes fideles apostoli. Cum

13 quasi *om. A* ‖ iam recogitationem *Rig Oeh Krm* : in recogitationem *N FX R om. A* ‖ excessus *A N R*[3] : -cussus *FX R*[1]*R*[2] ‖ 14
refrenat *N FX R* : frenant *A* ‖ 16 in collecto *N R Krm* : -tum *A Rig Oeh*
intellecto *FX* ‖ 19 et innuptorum *om. N FX R* ‖ 20 dissuadet *A N coni.*
R[1] *(unde R*[2]*R*[3]*) Rig* : -is *FX R*[1] ‖ quod *A FX R* : quid *ND* ‖ 21 de[1] *A* :
ne *N FX R* ‖ de[2] *om. N FX R* ‖ 22 cum nos uero *transp. N FX R* ‖ 24
id est incontinentes *om. N FX R Krm* ‖ ita et ipse cum aliud uult *om.*
N FX R ‖ 27 defuncto marito *transp. N FX R* ‖ 28 permanserit *A*[pc]
Rig Oeh Krm : perseuerauerit *N FX R* ‖ 30 spiritum Dei *transp. N FX*
R ‖ 31 docet *Oeh Krm* : docit *A* indicit *N R Rig* inducit *FX* ‖ 32 inquis
A coni. R[1] *(unde R*[2]*R*[3]*) Rig* : inquid *D FX R*[1] *om. N* ‖ *ante* assentabi-
mur *add.* consilio *ND FX R* ‖ inspice et *N FX R* : -ciet *A* ‖ 34 indicit *N*
FX R : incidit *A* ‖ 36 habent sed *N FX R* : habentes et *A* ‖ apostoli
cum *A FX* : apostolicum *N R*[1]*R*[2] apostoli. Cur *R*[3]

maîtrise aussitôt et se reprend, quand il continue : « Mais de telles personnes subiront les souffrances de la chair », quand il affirme qu'il les épargne, quand il dit encore que « le temps se fait court » et que pendant ce temps il faut que ceux qui ont femme se comportent comme ceux qui n'en n'ont pas, quand il compare les soucis des personnes mariées et de celles qui ne le sont pas... 3. Par là, en effet, il enseigne pourquoi il n'est pas avantageux de se marier et il déconseille ce qu'il avait concédé plus haut. Et cela, quand il s'agit des premières noces : à plus forte raison quand il s'agit des secondes ! D'autre part, quand il nous exhorte à suivre son exemple, en montrant naturellement ce qu'il veut que nous soyons, c'est-à-dire continents, il fait savoir en même temps ce qu'il ne veut pas que nous soyons, c'est-à-dire incontinents. Ainsi quand lui aussi veut une chose, celle qu'il ne veut pas, il ne la permet ni en son nom ni au nom de la vérité. Car s'il l'avait voulue, il ne l'aurait pas permise, mais ordonnée.

I Cor. 7, 39-40   4. Voici pourtant qu'il déclare qu'une femme, à la mort de son mari, peut se remarier à qui elle veut, mais dans le Seigneur seulement. « Mais, dit-il, elle sera plus heureuse si elle demeure comme elle est, selon mon avis. Et, je pense, j'ai l'esprit de Dieu ». Nous voyons deux avis, l'un par lequel il donne d'abord la permission de se marier, l'autre par lequel ensuite il enseigne à s'abstenir du mariage. 5. A quel avis donc, demandes-tu, nous rangerons-nous ? Regarde et lis. Quand il accorde une permission, il fait valoir un avis d'homme prudent ; quand il recommande la continence, il présente avec fermeté l'avis de l'Esprit-Saint. Suis donc l'avertissement qui a pour lui le patronage divin ! Certes les fidèles aussi ont l'Esprit de Dieu, mais tous les fidèles ne sont pas apôtres. Quand donc celui qui s'était dit fidèle a ajouté

---

d. I Cor. 7, 28   e. *ibid.*   f. I Cor. 7, 29   g. cf. *Ibid.*   h. cf. I Cor. 7, 32-34   i. cf. I Cor. 7, 8   l. cf. I Cor. 7, 39   m. I Cor. 7, 40 n. cf. I Cor. 7, 25 ; 7, 40.

ergo qui se fidelem dixerat adiecit postea spiritum dei se
habere, quod nemo dubitaret etiam de fideli, idcirco id dixit,
ut sibi apostoli fastigium redderet. 6. Proprie enim apostoli
40 spiritum sanctum habent, qui plene habent in operibus prophetiae et efficacia uirtutum documentisque linguarum, non
ex parte, quod ceteri. Ita spiritus sancti auctoritatem ad eam
speciem adire fecit, cui magis nos obsequi uoluit, et factum
est iam non consilium diuini spiritus, sed pro eius maiestate
45 praeceptum.

V, 1. Ad legem semel nubendi dirigendam ipsa origo
humani generis patrocinatur, contestans quid deus in primordio constituerit in formam posteritatis recensendum. Nam
cum hominem figulasset eique parem necessariam prospexis-
5 set, unam de costis eius mutuatus unam illi feminam finxit[a],
cum utique nec artifex nec materia defecisset. Plures costae
in Adam et infatigabiles manus in deo, sed non plures uxores
apud deum. 2. Et ideo homo dei Adam et mulier dei Eua unis
inter se nuptiis functi formam hominibus dei de originis auc-
10 toritate et prima dei uoluntate sanxerunt. Denique, *erunt*,
inquit[b], *duo in carne una*, non tres, neque quattuor.

37 qui se fidelem dixerat *A Rig Oeh Krm* : quod fidelem dixerit *N FX*
R¹R² cum fidelem dixerit *R³* ‖ adiecit *A Rig Oeh Krm* : adicit *N FX R* ‖
se spiritum dei *transp. N* spiritum se dei *transp. FX R* ‖ 38 dubitaret
A : -tat *N FX R* ‖ id *A Rig Oeh Krm* : hoc *N FX R* ‖ 40 qui plene
habent *om. A Rig* ‖ 41 et efficacia *A Rig Oeh Krm* : efficaciam *N FX R*
‖ documentisque linguarum *A Rig Oeh Krm* : atque documentorum
linguam *N FX R* ‖ 42 *ante* ex parte *add.* quasi *N FX R Krm* ‖ spiritus
sancti *A* : -tum -tum *N FX R* ‖ auctoritatem *A* : -te *N FX R* ‖ eam *A*
eandem *N FX R* ‖ 43 cui *N FX R* : cum *A* ‖ nos magis *transp. N FX R*
‖ 44 consilium *A coni. R²* *(unde R³) Rig Oeh Krm* : consilii *ND FX*
R¹R²

V, 1 dirigendam *A D* : -da *N* dirigam *FX R* ‖ 2 quid *A N R* : quod *FX*
Krm ‖ in primordio *A Rig Oeh Krm* : ab initio *N FX R* ‖ 3 posteritatis *N*
FX R : -ti *A Rig Oeh Krm* ‖ recensendum *Iun. Krm* : -dam *A N FX R*
Rig Oeh ‖ nam *om. A* ‖ 4 figulasset *A Rig Oeh Krm* : -gurasset *N FX*
R ‖ parem *N FX R* : patrem *A* ‖ necessariam *N FX R* : -ario *A* ‖ 5 mutua-
tus *A FX R* : minuatus *ND* ‖ feminam *N FX R* : -na *A* ‖ 7 infatigabiles

qu'il avait l'Esprit de Dieu, ce dont personne n'aurait douté même d'un simple fidèle, il l'a dit pour se redonner le rang d'apôtre. 6. En effet, les apôtres possèdent en propre l'Esprit-Saint, eux qui le possèdent pleinement dans les œuvres de la prophétie, dans le pouvoir des miracles, dans le témoignage des langues, et non de façon partielle comme le reste des fidèles. C'est pourquoi il a fait intervenir l'autorité de l'Esprit-Saint en faveur de l'espèce du bien à laquelle il a voulu que nous nous rangions de préférence, et cela en a fait non plus un avis de l'Esprit de Dieu, mais, compte tenu de sa majesté, un ordre.

Argument subsidiaire : les noces monogamiques d'Adam et Ève — **V, 1.** La loi stipulant le mariage unique a pour elle la caution de l'origine même de l'humanité, qui atteste ce que Dieu a établi au commencement à titre de règle à observer par la postérité. En effet, ayant façonné l'homme et prévu qu'une compagne lui était nécessaire, il lui prit une côte — une seule, et en modela pour lui une femme — une seule, alors que, naturellement, ni l'artisan ni la matière n'étaient déficients. Adam avait plusieurs côtes, et Dieu, des mains infatigables, mais Dieu ne prévoyait pas plusieurs femmes. 2. Et c'est pourquoi l'homme de Dieu, Adam, et la femme de Dieu, Ève, contractèrent un seul mariage et consacrèrent pour les hommes de Dieu une règle qui a pour fondement l'autorité des origines et la première volonté de Dieu. D'autre part, « ils seront, dit-il, deux en une seule chair » — et non pas

*G R*³ : -lis *A* infabricabiles *ND FX R*¹*R*² ‖ deo *A R* : deum *ND FX* ‖ 8 homo *N FX R* : modo *A* ‖ mulier dei *FX R* : mulier *ND om. A* ‖ 9 functi *A Rig Oeh Krm* : defuncti sunt *N FX R* ‖ hominibus dei *A Rig Krm* : hominis dei *N FX R* hominibus *Oeh* ‖ 10 prima dei uoluntate *A Lat Vrs Rig Oeh Krm* : -mam dei -tem *N FX R* ‖ denique *om. N FX R* ‖ 11 duo inquit *transp. N FX R Rig* ‖ carne una *A Rig Oeh* : -em -am *Krm* una carne *ND FX R* ‖

a. cf. Gen. 2, 21   b. cf. Gen. 2, 24

Alioquin iam non una caro nec duo in unam carnem. Tunc
erunt, si coniunctio et concretio in unitatem semel fiat. Si
uero rursus aut saepius, iam una esse desiit, et erunt iam non
15 duo in unam carnem, sed una plane caro in plures. 3. At cum
apostolus in ecclesiam et Christum interpretatur[c] 'erunt duo
in unam carnem', secundum spiritales nuptias ecclesiae et
Christi (unus enim Christus et una eius ecclesia), agnoscere
debemus duplicatam et exaggeratam esse nobis unius
20 matrimonii legem tam secundum generis fundamentum quam
secundum Christi sacramentum. 4. De uno matrimonio censemur utrobique, et carnaliter in Adam et spiritaliter in
Christo. Duarum natiuitatum unum est monogamiae praescriptum. In utraque degenerat qui de monogamia exorbi-
25 tat. Numerus matrimonii a maledicto uiro coepit. Primus
Lamech duabus maritatus tres in unam carnem effecit[d].

VI, 1. 'Sed et benedicti', inquis, patriarchae non modo
pluribus uxoribus, uerum etiam concubinis coniugia miscue-
runt'. Ergo propterea nobis quoque licebit innumerum
nubere ? Sane licebit, si qui adhuc typi alicuius futurī sacra-
5 menti supersunt, quod nuptiae tuae figurent, uel si etiam
nunc locus est uocis illius : *Crescite et multiplicamini*[a], id est,

12 iam non *N FX R Rig Oeh* : quoniam *A Krm* ‖ unam carnem *A Rig
Oeh Krm* : -a -e *ND FX R* ‖ *ante* tunc *add.* nisi *Krm* ‖ 13 in unitatem *A
Rig Oeh Krm* : dum in unitate *ND FX R¹R²* duum in unitate *coni. R²
(unde R³)* ‖ 14 iam² *om. A Rig Oeh* ‖ 15 unam carnem *A R²R³ Rig
Oeh Krm* : -a -e *ND FX R¹* ‖ caro *N FX R* : costa *A Rig Oeh* contra
Krm ‖ *post* at *add.* et *Krm* ‖ 17 unam carnem *A Rig Oeh Krm* :
-a -e *ND FX R* ‖ 20 legem *om. N FX R lacunam indicauit B* ‖ 21
sacramentum *A Rig Oeh Krm* : firma- *N FX R* ‖ de *om. N FX R* ‖
22 utrobique *R* : utrubique *A* utrum ubique *ND FX* ‖ carnaliter et
transp. ND FX ‖ 23 christo *A R* : -ti *ND FX* ‖ 24 in *om. N FX R* ‖ qui
N FX R Rig : u qui *A* is qui *Oeh Krm* ‖ de monogamia *N FX R* : demo-
noia *A* ‖ 26 lamech *N FX R* : lamen *A*

c. cf. Éphés. 5, 31-32   d. cf. Gen. 4, 19.

VI, 2 coniugia *A^pc N FX R* : -gis *A^ac* ‖ 3 innumerum *Rig Oeh* : in
numerum *A N FX R Krm (sed cf. Waszink VC 1952, 185)* ‖ 4 si qui *N R*

trois ni quatre. Autrement ils ne seront plus une seule chair ni deux en une seule chair. Ils le seront seulement si l'union et la fusion ne se produisent qu'une fois dans l'unité. Mais si elles se reproduisent une fois ou davantage, il n'y aura plus une seule chair, et ils ne seront plus deux en une seule chair, mais bien une chair en plusieurs... 3. Et quand l'Apôtre, en l'appliquant à l'Église et au Christ, explique « ils seront deux en une seule chair » comme les noces spirituelles de l'Église et du Christ (car un est le Christ et une son Église), nous devons reconnaître que la loi du mariage unique se trouve être doublement étayée, tant dans sa conformité au fondement de l'humanité que dans sa conformité au mystère du Christ. 4. Nous tirons donc notre origine d'un mariage unique, dans l'un et l'autre cas : charnellement, en Adam ; spirituellement, dans le Christ. Une seule prescription de monogamie caractérise nos deux naissances. S'agissant de l'une comme de l'autre, on dégénère quand on s'écarte de la monogamie. La pluralité dans le mariage a commencé avec un homme maudit. Le premier, Lamech, en épousant deux femmes, a réuni trois êtres en une chair.

Réponse à diverses objections : — la polygamie des patriarches

VI, 1. « Mais, dis-tu, les bienheureux patriarches non seulement se sont unis à plusieurs épouses, mais même à des concubines ». — Nous sera-t-il donc permis pour cette raison de nous marier x fois ? Oui, sans doute si subsistent encore des « types » d'un mystère à venir que tes noces figureraient, ou bien si, maintenant encore, il y a place pour cette parole : « Croissez et multipliez », c'est-à-

---

Krm : si quia *FX* si *A Rig Oeh* ‖ alicuius futuri *N FX R* : *transp. A Rig Oeh Krm* ‖ sacramenti *N FX R Krm* : -ta *A Rig Oeh* ‖ 5 quod *Krm* : quos *codd. edd. cett.* ‖ uel *A Rig Oeh Krm* : quod *ND FX R¹R²* aut *R³*

---

a. cf. Gen. 1, 22-28

si nondum alia uox superuenit, tempus iam in collecto esse, restare, ut et qui uxores habeant tamquam non habentes agant[b]. 2. Vtique enim continentiam indicens et compenscens
10 concubitum, seminarium generis, abolefecit 'crescite' illud 'et multiplicamini'[c]. Vt opinor autem, unius et eiusdem dei utraque pronuntiatio et dispositio est, qui tum quidem in primordio sementem generis emisit indultis coniugiorum habenis, donec mundus repleretur, donec nouae disciplinae
15 materia proficeret. Nunc uero sub extremitatibus temporum compressit quod emiserat et reuocauit quod indulserat, non sine ratione prorogationis in primordio et repastinationis in ultimo. Semper initia laxantur, fines contrahuntur. 3. Propterea siluam quis instituit et crescere sinit, ut tempore suo
20 caedat. Silua erat uetus dispositio, quae ab euangelio nouo deputatur, in quo et securis ad radicem arboris posita[d]. Sic et oculum pro oculo et dentem pro dente[e] iam senuit ex quo iuuenuit 'malum pro malo nemo reddat'[f]. Puto autem etiam humanas constitutiones atque decreta posteriora pristinis
25 praeualere.

VII, 1. Cur autem de pristinis exemplis non ea potius agnoscamus quae cum posterioribus communicant de disciplina et formam uetustatis ad nouitatem transmittunt ? Ecce

---

8 habeant A Oeh Krm : -bent N FX R Rig ‖ 10 abolefecit A Rig Oeh Krm : abolescit N absolescit FX R obsolescit coni. Pithoeus ‖ 12 et dispositio om. A ‖ tum A : tunc N FX R ‖ 14 repleretur A N R²R³ : -reretur FX R¹ ‖ 15 sub A Rig Oeh Krm : cum N FX R ‖ 17 prorogationis A Rig Oeh Krm : propaga- N FX R ‖ repastinationis N FX R Oeh Krm : pastina- A Rig ‖ 18 laxantur N FX R : -xatur A ‖ fines contrahuntur om. A Rig Oeh ‖ 19 instituit A N R : -tuet FX ‖ 20 silua erat Oeh : siluerit A siluam. erat N FX R siluam. Erit Krm silua erit Rig ‖ ab A Rig Oeh Krm : in N FX R ‖ 21 ad radicem arboris FX R : ad radices A Oeh ad radicem arborum ND ad radices arboris Rig Krm ‖ post posita add. est N FX R ‖ 22 et dentem N FX R Rig : dente A dentem Krm ‖ 23 malo N FX R : -um A ‖ post etiam add. in A Rig Oeh Krm ‖ 24 humanas constitutiones A Rig Oeh : -nam -tionem N FX R -nis -tiones Krm ‖ decreta A Rig Oeh Krm : -tum N FX R ‖ posteriora A Rig Oeh Krm : postea N FX R postera coni. R² Urs Lat

dire si cette autre parole n'est pas encore venue la remplacer, à savoir que le temps se fait court et qu'il reste que ceux qui ont une épouse fassent comme s'ils n'en avaient pas. 2. Car, naturellement, en prescrivant la continence et en refrénant l'union charnelle, ensemencement du genre humain, elle a aboli le « Croissez et multipliez ». Mais, pour moi, l'une et l'autre parole, l'une et l'autre disposition, sont d'un seul et même Dieu, qui alors, au commencement, a procédé aux semailles du genre humain en lâchant la bride aux mariages, jusqu'à ce que le monde fût rempli, jusqu'à ce que la matière d'une nouvelle discipline progressât ; tandis que maintenant, à la fin des temps, il a arrêté les semailles et annulé ses indulgences, non sans qu'il y eût de raison à la profusion des premiers temps comme à la limitation des derniers. Il y a toujours, au commencement, des concessions et, à la fin, des contraintes. 3. Voilà pourquoi on plante une forêt et on la laisse croître : afin, le moment venu, de la tailler. L'ancienne disposition était une forêt, élaguée par l'Évangile nouveau, qui dispose d'une hache placée auprès de la racine de l'arbre. De la même façon, « œil pour œil, dent pour dent » a maintenant vieilli, depuis qu'a grandi le « qu'on ne rende pas le mal pour le mal ». Et je crois que, pour ce qui est des constitutions et des décrets humains aussi, ceux qui viennent ensuite prévalent contre les anciens.

— discipline sacerdotale et discipline laïque   **VII,** 1. Mais pourquoi ne reconnaîtrions-nous pas plutôt ceux des exemples anciens qui s'accordent avec les exemples postérieurs de discipline et transmettent au temps nouveau les règles de l'ancien. Voici

b. cf. I Cor. 7, 29   c. Gen. 1, 22-28   d. cf. Matth. 3, 10   e. Ex. 21, 24   f. Rom. 12, 17.

VII, 2 posterioribus *A Rig Oeh Krm* : posteris *N FX R* ‖ de disciplina *A Rig Oeh Krm* : disciplinae *N R* disciplina *F* disciplinam *X* ‖ 3 et formam *Oeh Krm* : et forma *A Rig* formam *N FX R*

enim in uetere lege animaduerto castratam licentiam saepius
5 nubendi. Cautum in Leuitico[a] : 'Sacerdotes mei non plus
nubent'. Possum dicere etiam illud plus esse quod semel non
est. Quod non unum est, numerus est. Denique post unum
incipit numerus. Vnum autem est omne quod semel est.
2. Sed Christo seruabatur, sicut in ceteris, ita in isto quoque
10 legis plenitudo[b]. Inde igitur apud nos plenius atque
instructius praescribitur unius matrimonii esse oportere qui
alleguntur in ordinem sacerdotalem[c]. Vsque adeo quosdam
memini digamos loco deiectos. Sed dices : ergo ceteris licet,
cum quibus non liceat excipit. Vani erimus, si putauerimus
15 quod sacerdotibus non liceat laicis licere. 3. Nonne et laici
sacerdotes sumus ? Scriptum est[d] : *Regnum quoque nos et
sacerdotes deo et patri suo fecit.* Differentiam inter ordinem
et plebem constituit ecclesiae auctoritas et honor per ordinis
consessum sanctificatus. Adeo ubi ecclesiastici ordinis non
20 est consessus, et offers et tinguis et sacerdos es tibi solus. Sed
ubi tres, ecclesia est[e], licet laici. 4. Vnusquisque enim *fide sua
uiuit, nec est personarum exceptio apud deum*, quoniam *non
auditores legis iustificantur a domino, sed factores[f],*

4 uetere *A R³* : -ri *N FX R¹R²* ‖ lege *N FX R* : -gem *A* ‖ 5 *post* cautum
add. est *N FX R* ‖ 6 nubent *N FX R Oeh Krm* : -bunt *A Rig* ‖ possum
A R : -sunt *N FX* ‖ 8 unum *N FX R* : -am *A* ‖ est¹ *om. N FX R* ‖ 9
Christo *A Rig Oeh Krm* : in Christo *ND FX R¹R²* uni Christo *R³* ‖
10-11 apud nos ... praescribitur : apostolus ... praescribit *corr. Krm* ‖
11 instructius *A Rig Oeh* : structius *ND FX R* strictius *Lat Iun Krm* ‖
11-12 qui alleguntur *Rig Oeh* : qui allegunt *A* quos adleget *ND FX
R¹R²* quos allegi *R³* qui allegantur *Krm* ‖ 12 adeo *A Rig Oeh Krm* : ad
ND FX R ‖ 13 digamos *A coni.R¹ (unde R³) Rig Oeh Krm* : dicamus
ND FX R¹R² ‖ deiectos *N FX R* : deiactos *A* ‖ *ante* dices *add.* si *A* ‖
14 cum quibus non liceat excipit *N FX R* : quos excipit *A Rig Oeh*
<quod eis non licet >quos excipit *Krm* ‖ 16-17 sumus ... sacerdotes
om. A ‖ 16 *post* scriptum est *iterant* laici sacerdotes sumus *ND FX R¹*
‖ 19 consessum *AFX R* : -sensum *ND* -sessus *Krm* ‖ sanctificatum
codd. : -catos *Krm* ‖ adeo *N FX R Rig Oeh* : a deo *A deo Krm* ‖ ubi *A
coni.R² (unde R³)* : ibi *Nᵖᶜ D FX R¹R²* ibi est *N* ‖ 20 consessus *A R* :
-cessus *ND FX* ‖ offers et tinguis *Rig Oeh Krm* : offers et inguis *A*
offert et tinguit *N FX R* ‖ et³ *om. N FX R*‖ es tibi *A Rig Oeh Krm* : est
ibi *ND FX R¹R²* qui est ibi *R³* ‖ 20-21 sed ubi *A Rig Oeh* : sed et ubi *N*

en effet que dans l'ancienne loi, comme je le remarque, la permission de se marier plusieurs fois a subi une amputation. Il y a dans le *Lévitique* cette mise en garde : « Mes prêtres ne se marieront pas plusieurs fois ». Je puis ajouter que plusieurs fois » veut dire « qui n'a pas lieu qu'une fois ». Ce qui n'est pas l'unité, c'est le nombre. Car après l'unité commence le nombre. Mais l'unité est ce qui n'a lieu qu'une fois. 2. Il était pourtant réservé au Christ de compléter la loi sur ce point comme sur les autres. De là vient donc chez nous la prescription plus complète et plus élaborée : sont admis dans l'ordre sacerdotal ceux qui n'ont contracté qu'un seul mariage. Tant il est vrai que certains, je m'en souviens, ont été exclus de cet état pour digamie. Mais, diras-tu, la permission bénéficie donc à tous les autres, puisque la prescription stipule à qui ne bénéficie pas la permission. Nous serons bien légers, si nous pensons que ce qui ne doit pas être permis aux prêtres est permis aux laïcs ! 3. Pour être laïcs ne sommes-nous pas également prêtres ? Il est écrit : « Il a fait de nous une royauté en même temps que des prêtres pour son Dieu et père ». La distinction entre ordre sacerdotal et peuple de laïcs, c'est l'autorité de l'Église qui la crée, et la préséance se voit sanctifiée quand se rassemble l'ordre sacerdotal. C'est pourquoi, quand il n'y a pas d'assemblée ecclésiastique, tu offres le saint sacrifice, tu baptises, tu es prêtre, seul pour toi même. Mais là où il y a trois fidèles, il y a une Église, même si ce sont des laïcs. 4. Chacun en effet « vit de sa foi, et il n'y a pas acception de personne auprès de Dieu », car « ce ne sont pas ceux qui écoutent la loi qui sont justifiés par le Seigneur, mais ceux qui l'observent », selon les paroles

FX R scilicet ubi *Krm* || 21 fide sua *A* : de sua fide *N FX R* sua fide *Rig Oeh Krm* || 22 exceptio *A Oeh* : ac- *N FX R Rig Krm* || 23 iustificantur a domino *A Oeh Krm* : iustificabuntur a deo *N FX R Rig* || factores legis iustificabuntur *transp. A*

a. cf. Lév. 21, 13-15   b. cf. Matth. 5, 17   c. cf. I Tim. 3, 2 ; Tite 1, 6   d. Apoc. 1, 6   e. cf. Matth. 18, 20   f. Rom. 2, 11-13

secundum quod et apostolus dicit. Igitur si habes ius sacerdo-
25 tis in temetipso ubi necesse est, habeas oportet etiam disciplinam sacerdotis, ubi necesse sit habere ius sacerdotis.
Digamus tinguis ? digamus offers ? 5. Quanto magis laico
digamo capitale est agere pro sacerdote, cum ipsi sacerdoti
digamo facto auferatur agere sacerdotem ! 'Sed necessitati',
30 inquis, 'indulgetur'. Nulla necessitas excusatur quae potest
non esse. Noli denique digamus deprehendi, et non committis
in necessitatem administrandi quod non licet digamo.
6. Omnes nos deus ita uult dispositos esse, ut ubique sacramentis eius obeundis apti simus. Vnus deus, una fides[g], una
35 et disciplina. Vsque adeo nisi et laici ea obseruent per quae
presbyteri alleguntur, quomodo erunt presbyteri qui de laicis
alleguntur ? Ergo pugnare debemus ante laicum iussum a
secundo matrimonio abstinere, dum presbyter esse non alius
potest quam laicus semel fuerit maritus.

VIII, 1. Liceat nunc denuo nubere, si omne quod licet
bonum est. Idem apostolus exclamat[a] : *Omnia licent, sed non om-*

25 temetipso *A FX R* : semetipso *ND* ǁ disciplinam *A N R³* : -na *FX*
R¹R² ǁ 26 ubi necesse sit *Rig Oeh* : nec ubi necesse est *A Krm*
necesse sit *N FX R* ubi necesse est *Lat* ǁ 27 digamus tinguis *om. A* ǁ
digamus² *R* : -camus *N FX* ǁ 28 digamo *A coni.R² Rig Oeh* : dicat quo
N FX R digamo quod *Krm* ǁ capitale est *A Rig Oeh* : apud salutem erit
ND FX R¹R² ad salutem erit *R³* ad salutem capitale erit *Krm* ǁ
sacerdote *A FX R* : salute *ND* ǁ 29 digamo facto *A coni.R² Rig Oeh*
Krm : dicitur quo ne facto *ND FX R¹R²* dicitur qui eo facto *R³* ǁ auferatur agere sacerdotem *A Rig Oeh Krm* : communicatur actione sacerdotis *N FX R* ǁ 30 indulgetur *A Rig Oeh Krm* : -serit *N FX R* ǁ 31
post esse *add.* necessitas *N FX R* ǁ noli *om. N FX R* ǁ digamus *coni.*
R¹ (unde R³) Rig Oeh Krm : dicamus *A ND FX R¹R²* ǁ non committis
in *om. N FX R* ǁ 32 necessitatem *A Rig Oeh Krm* : -tate *N FX R* ǁ
digamo *A coni.R¹* : dicam *N FX R* ǁ 33 uult *A Rig Oeh Krm* : uoluit *N*
FX R ǁ ut ubique *A coni.R² (unde R³) Oeh Rig Krm* : et ubique *ND FX*
R¹R² ǁ sacramentis *A Rig Oeh Krm* : sanctionis *N FX R¹R²* sanctiones
coni.R¹ (unde R³) ǁ 34 apti — una et *om. N FX R* ǁ 35 et disciplina *A*
coni.R¹ : si disciplina *ND FX R¹R²* sit disciplina *R³* sit et disciplina *Krm*
ǁ *post* usque adeo *lacunam ind. Krm* ǁ et² *om. N FX R* ǁ 36 alleguntur
A Rig Oeh Krm : -antur *N FX R* ǁ 37 pugnare *A Rig Oeh* : perferre *N*
FX R¹R² praeferre *R³* ; *Krm et nobis corruptum uidetur* ǁ 38 abstinere

mêmes de l'Apôtre. Si donc tu as la capacité d'assumer les pouvoirs sacerdotaux en cas de nécessité, tu dois aussi assumer la discipline sacerdotale, pour le cas où il te serait nécessaire d'assumer les pouvoirs sacerdotaux. Baptises-tu, si tu es digame ? offres-tu le saint sacrifice, si tu es digame ? 5. Combien plus est-ce un péché mortel qu'un laïc digame remplisse les fonctions sacerdotales, quand un prêtre devenu digame se voit interdire ses fonctions sacerdotales !

— l'excuse des cas « de force majeure » « Mais, dis-tu, la nécessité suscite l'indulgence ». Il n'y a pas d'excuse pour une nécessité qui pourrait ne pas se produire. Ne te trouve donc pas en situation de digamie, et tu ne te mets pas dans la nécessité d'accomplir ce qui n'est pas permis à un digame. 6. Dieu veut que nous soyons tous dans des conditions telles que, en toute circonstance, nous soyons en mesure d'administrer ses sacrements. Un seul Dieu, une seule foi — une seule discipline également. Tant il est vrai que si les laïcs n'observent pas les règles qui conditionnent le choix des prêtres, comment y aura-t-il des prêtres, eux qui sont choisis parmi les laïcs ? Nous devons donc lutter pour que les laïcs se soient vu antérieurement inviter à renoncer à un second mariage, du moment que seul peut être prêtre le laïc qui n'aura été marié qu'une fois.

VIII, 1. Admettons maintenant qu'il soit permis de se remarier, s'il est vrai que tout ce qui est permis est bien. Mais c'est encore l'Apôtre qui s'écrie : « Tout est permis, mais tout

A *Rig Oeh Krm* : retinere *N FX R* ‖ 39 quam laicus *A N FX R¹R² Rig Oeh* : laicus quam *Krm* quam laicus qui *R³* ‖ maritus *A Rig Oeh Krm* : maritatus *N FX R*

g. Éphés. 4, 5.

VIII, 1 *ante* omne *add.* et *N FX R Krm* ‖ 2 est *N FX R Rig Oeh* : et *A* sed *Krm* ‖ exclamat *A Rig Oeh Krm* : -mabat *N FX R*

a. I Cor. 6, 12

nia prosunt. Quod non prodest, oro te, bonum potest dici ? Si
licita sunt et quae non prosunt, ergo et quae non bona sunt
5 licita sunt. Quid autem magis uelle debebis, quod ideo bonum
est quia licet, an quod ideo quia prodest ? Multum existimo
esse inter licentiam et salutem. De bono non dicitur 'licet',
quia bonum permitti non exspectat, sed assumi. 2. Permittitur
autem quod an bonum sit in dubio est, quod potest etiam non
10 permitti, si non habeat aliquam sui causam, primam, quia
propter incontinentiae periculum permittitur nubere, secundo,
quia nisi licentia alicuius non bonae rei subiaceret, non esset
in quo probaretur qui diuinae uoluntati et qui potestati suae
obsequeretur, quis nostrum utilitatis praesentiam sectetur et
15 quis occasionem licentiae amplexetur. 3. Licentia plerumque
temptatio est disciplinae, quoniam disciplina per temptatio-
nem probatur, temptatio per licentiam operatur. Ita fit, ut
omnia liceant, sed non omnia expediant, dum temptatur cui
permittitur, et iudicatur dum in permissione temptatur.
20 Licebat et apostolis nubere et uxores circumducere[b]. Licebat
et de euangelio ali[c]. Sed qui iure hoc usus non est in
occasionem, ad exemplum nos suum prouocat, docens in eo

---

3 prosunt *A Rig Oeh Krm* : pro salute *N FX R* ‖ potest bonum *transp.*
N FX R ‖ 4-5 et quae − licita sunt *om. A* ‖ prosunt *Krm* : pro salute *N
FX R Rig Oeh* ‖ 5 debebis *A FX R* : -betis *ND* ‖ 5-6 ideo *(bis) A* : ergo
(bis) N FX R ‖ 7 salutem *N FX R Oeh* : utilitatem *A Rig Krm* ‖ dicitur
A Rig Oeh Krm : uincis *N FX R* ‖ 8 permitti *N coni.R² (unde R³) Rig
Oeh Krm* : − it *A FX R¹R²* non permitti exspectat *Vrs* ‖ permittitur *A N
FX* : -mittit *R¹ cum praeced. coniungens* ‖ 9 autem *A coni.R¹ Rig Oeh
Krm* : aut *ND F R¹R²* an *X* ut *R³* ‖ in dubio *A coni.R² (unde R³)* : in
dubium *ND FX R¹R²* si in dubio est *coni.R¹* ‖ 10 permitti *N FX R Rig
Oeh Krm* : -misit *A* ‖ *ita distinxit Krm, qui* primam *addub.* ‖ 11
secundo *A Oeh Krm Rig (qui cum* nubere *coniungit)* : secundum *N FX
R (cum* nubere *coniunctum)* ‖ 12 nisi *A X R* : non *N* uero *F* ‖ 13 qui¹
N F R Rig Oeh : quid *A* quia *X* quis *Krm* ‖ qui² *N FX R Rig Oeh* : quis
A Krm ‖ suae potestati *transp. N FX R* ‖ 14 obsequeretur *A Oeh* :
-quatur *N FX R Rig Krm* ‖ utilitatis *N FX R* : -ti *A* ‖ 15 *post* amplexetur *pergunt* quis diuinae uoluntati et quis suae uoluntati obse-
quatur *N FX R* ‖ 16 temptatio est *A NG coni.R¹ (unde R³)* : temptatio-
ne *FX R¹R²* ‖ 17 temptatio *A R³ Rig Oeh Krm* : tentatur *ND FX R¹R²*

n'est pas expédient ». Ce qui n'est pas expédient, je te le demande, peut-il être appelé un bien ? Si sont permises les choses qui ne sont pas expédientes, c'est que sont permises les choses qui ne sont pas bonnes. Que devras-tu vouloir de préférence ? ce qui est bien parce que permis ou ce qui l'est parce qu'expédient ? Grande est, je crois, la distance entre permission et salut. De ce qui est bien on ne dit pas « C'est permis », car le bien n'attend pas qu'on l'autorise, mais qu'on le prenne. 2. On autorise ce dont le bien est douteux, ce qui pourrait même ne pas être autorisé, s'il n'avait pour lui une première raison : qu'on autorise le mariage à cause du danger d'incontinence ; ensuite, que si n'était pas laissée la permission de faire une action qui ne fût pas bonne, il n'y aurait guère de moyen permettant de mettre à l'épreuve qui se soumet à la volonté divine et qui se soumet à son propre pouvoir, lequel d'entre nous recherche la réalisation de ce qui est utile et lequel saisit l'occasion de faire ce qui est permis. 3. Généralement, la permission sert à tenter la discipline, puisque la discipline est mise à l'épreuve par la tentation et que la tentation opère par la permission. C'est ainsi que tout est permis, mais que tout n'est pas expédient, car il est tenté celui que l'on autorise, et il est jugé car il est tenté dans l'autorisation qu'on lui accorde. Il était permis aussi aux apôtres de se marier et d'avoir leurs épouses avec eux. Il leur était permis aussi de vivre de l'Évangile ! Mais celui qui n'usa pas de ce droit en cette occasion nous invite à suivre son exemple, en nous apprenant qu'il y a mise à l'épreuve précisément

qui tentatur *coni.R*[1] || 19 permittitur *A coni.R*[2] *Rig Oeh Krm* : -tatur *N FX R* || iudicatur *A Rig Oeh Krm* : uind- *N FX R* || 20 apostolis *A FX R* : -lo *ND* || 21 euangelio *A Rig Oeh Krm* : -liis *N FX R* || ali *A Rig Oeh Krm* : uiuere *N FX R* || qui iure hoc usus non *A Rig Krm* : quibus reus non *ND FX R*[1]*R*[2] qui iis usus non *R*[3] qui iure hoc non usus *Oeh* || 21-22 in occasionem *N FX R Rig Oeh* : in occasione *Krm* occasionem *A* || 22 suum *N FX R* : scilicet et *A*

b. cf. I Cor. 9, 5   c. cf. I Cor. 9, 14-15.

esse probationem in quo licentia experimentum abstinentiae
praestruxit.

IX, 1. Si penitus sensus eius interpretemur, non aliud
dicendum erit secundum matrimonium quam species stupri.
Cum enim dicat[a] maritos hoc in sollicitudine habere, quemadmodum sibi placeant, non utique de moribus (nam
5 bonam sollicitudinem non suggillaret), sed de cultu et ornatu
et omni studio formae ad inlecebras moliendas sollicitos
intellegi uelit, de forma autem et cultu placere carnalis
concupiscentiae ingenium sit, quae etiam stupri causa est,
ecquid uidetur tibi stupri affine esse secundum matrimonium,
10 quoniam ea in illo deprehenduntur quae stupro competunt ?
2. Ipse dominus, *qui uiderit*, inquit[b], *mulierem ad
concupiscendum, iam stuprauit eam in corde suo*. Qui autem
eam ad ducendum uiderit, minus an plus fecit ? Quid si etiam
duxerit ? quod non faceret, nisi et ad ducendum concupisset
15 et ad concupiscendum uidisset. Nisi si potest duci uxor quam
non uideris nec concupieris. 3. Multum sane interest, maritus
an caelebs aliam concupiscat. Omnis mulier etiam caelibi

23 licentia *A coni.* R^2 *Rig Oeh* : -tiae *N FX R Krm* ‖ 24 praestruxit *A
Rig Oeh Krm* : -xerit *N FX R*

IX, 1 si penitus *A Rig Oeh Krm* : superiorem ne *N FX R* ‖ aliud *A Rig
Oeh Krm* : illud *N FX R* ‖ 2 secundum *secl. Krm* ‖ quam *A Rig Oeh* :
quasi *N FX R* quam quasi *Krm* ‖ 3 sollicitudine *A* : -dinem *N FX R* ‖
quemadmodum *A Rig Oeh Krm* : quodam modo *N FX* quonam modo
R ‖ 4 *post* non *add.* autem *Krm* ‖ nam *A Rig Oeh Krm* : nam ut *N FX
R* nam aut *coni.* R^1 ‖ 5 suggillaret *Rig Oeh Krm* : suggilaret *A*
subleuare *ND FX* R^1R^2 subleuaret R^3 ‖ sed *N FX R Krm* : et *A Rig Oeh*
‖ 6 moliendas *A Rig Oeh Krm* : moriendas *ND FX* mouendas *R* ‖ 7
intellegi *A Rig Oeh Krm* : iungi *N FX R* ‖ uelit *A N FX* R^1 : uelut R^2R^3 ‖
autem *om. N FX R* ‖ 8-9 causa est − stupri *om. A* ‖ 9 ecquid R^3 *Rig
Oeh Krm* : eo quod *N FX* R^1R^2 eo quo *coni.*R^1 eo que *D* ‖ affine *N R* :
-nem *A FX* ‖ secundum *om. N FX R Krm* ‖ 10 deprehenduntur *A Oeh
Krm* : reprehendo *N FX R* deprehendo *Rig* ‖ 11 Ipse dominus *A Rig
Oeh* : interim dominus ipse dicit *N FX R* interim ipse dominus *Krm* ‖
12 *post* concupiscendum *add.* eam *N FX R* ‖ 12-13 autem eam *A Rig*

dans le cas où la permission a préparé à faire l'expérience de l'abstinence.

IX, 1. Si nous interprétons sa pensée profonde, il faudra dire que les secondes noces ne sont rien d'autre qu'une forme de débauche. Car quand il dit que les époux sont préoccupés de savoir comment se plaire ; quand il veut que l'on comprenne que leur préoccupation a pour objet non pas, naturellement, leur moralité (il n'aurait pas critiqué une bonne préoccupation), mais la parure, les soins de beauté et tous les soucis d'élégance, en vue de susciter la séduction ; d'autre part, quand plaire grâce à l'élégance et à la parure est une trouvaille de la concupiscence charnelle, qui est aussi cause de débauche, n'as-tu pas le sentiment que les secondes noces sont parentes de la débauche, puisqu'on trouve chez elles ce qui appartient à la débauche ? 2. Le Seigneur lui-même a dit : « Celui qui a vu une femme pour la désirer s'est déjà livré à la débauche dans son cœur ». Mais celui qui l'a vue pour l'épouser, a-t-il fait plus ou moins ? Peu importe qu'il l'ait épousée ! Il ne l'aurait pas fait, s'il ne l'avait désirée pour l'épouser et s'il ne l'avait vue pour la désirer. A moins qu'on ne puisse épouser une femme sans l'avoir vue ni désirée ! 3. Sans doute cela fait-il une grande différence si celui qui désire une femme qui ne lui appartient pas est marié ou célibataire ! Mais même à un célibataire, il n'est pas de femme

---

Oeh Krm : autem *N FX R* || 13 ad ducendum *A R* : adducendam *N FX* || an plus fecit *Rig Oeh Krm* : amplius fecit *A* par fecit *FX R¹R²* perficit *N* perfecit *R³* || 14 et *om. N FX R* || concupisset *A R* : -piscet *N FX* || 15 et ad − uidisset *om. N FX R* || si *om. N FX R* || 16 non *A Rig Oeh Krm* : et si non *N FX R* || nec *A Oeh Krm* : et *N FX* at *R* || *post* concupieris *pergunt* : saltem cum ipsam ducere coeperis *N FX R* || interest *A Rig Oeh Krm* : abest *N FX R* || 16-17 maritus an caelebs aliam concupiscat *A Rig Oeh Krm* : maritos apud caelum non concupiscentes *ND FX R¹R²* maritus ab zelo non concupiscens *R³* || 16 *post* maritus *add.* suam *Krm* || 17 caelebs *secl. Krm* || etiam *om. N FX R* enim *conieci* || 17-18 caelibi alia *A Rig Oeh Krm* : celi uia *ND FX R¹R²* zeliuira *R³*

---

a. cf. I Cor. 7, 33-34   b. Matth. 5, 28

alia est, quamdiu aliena, nec per aliud tamen fit marita, nisi
per quod et adultera. Leges uidentur matrimonii et stupri
20 differentiam facere, per diuersitatem inliciti, non per condicionem rei ipsius. Alioquin quae res et uiris et feminis omnibus adest ad matrimonium et stuprum ? commixtio carnis
scilicet, cuius concupiscentiam dominus stupro adaequauit.
4. ʿErgoʾ, inquit, ʿ iam et primas, id est unas nuptias
25 destruis ?ʾ Nec immerito, quia et ipsae ex eo constant quod
est stuprum. Ideo *optimum est homini mulierem non attin-*
*gere*ᶜ, et ideo uirginis principalis est sanctitas, quia caret
stupri affinitate. Et cum haec etiam de primis et unis nuptiis
praetendi ad causam continentiae possint, quanto magis
30 secundo matrimonio recusando praeiudicabunt ? Gratus esto,
si semel tibi indulsit deus nubere. Gratus autem eris, si
iterum indulsisse illum tibi nescias. Ceterum abuteris indulgentia, cum sine modestia uteris. Modestia a modo intellegitur. 5. Non tibi sufficit de summo illo immaculatae uirginita-
35 tis gradu in secundum recidisse nubendo, sed in tertium

18 aliud *A Rig Oeh Krm* : alium *N FX R* ‖ tamen *om. N FX R* ‖ maritus
coni. Krm. Locus corruptus esse uidetur ‖ 19 quod *A Rig Oeh Krm* :
quem *N FX R* ‖ adulter *Krm* ‖ *ante* leges *add.* At *Krm* ‖ Leges uidentur *Rig Oeh Krm* : leces uidentur *A* legis uidetur *N FX* legis. Videtur
R¹R². Legis uidetur *R³* ‖ 20 differentiam *A Rig Oeh Krm* : -tia *N FX R*
‖ 20-21 facere — ipsius *om. N FX R* ‖ *post* inliciti *add.* scilicet et liciti
Krm ‖ 21 quae *om. N FX R* ‖ 21-22 omnibus adest *A Rig Oeh Krm* :
eandem bonitatem *ND FX R¹R²* eadem imponit *R³* ‖ 23 *ante* cuius
add. certandum *N FX R* ‖ dominus *A Rig Oeh Krm* : non *ND FX R¹R²*
nos *R³* ‖ 24 inquit *A Oeh Krm* : -quis *N FX R Rig* ‖ 25 quia *A Oeh
Krm* : quoniam *N FX R Rig* ‖ eo *A FX R* : ipsa *D* ipso *N* ‖ constant *A
R* : -stat *N FX* ‖ 25-26 quod est *N FX R Oeh* : pro quo *A* quo et *Rig*
probro quo et *Krm* ‖ 26 *ante* ideo *add.* et *N FX R* ‖ est *N FX R* : et *A* ‖
non attingere *A Rig Oeh Krm* : iungere *ND FX R¹R²* non contingere
coni. R¹ non tangere *R³* ‖ 27 et ideo — sanctitas *om. N FX R* ‖ caret *A
Rig Oeh Krm* : cara est *N FX R* ‖ 28 et¹ *A Rig Oeh Krm* : sed *N FX R* ‖
30 praeiudicabunt *A Rig Oeh Krm* : praeuidebuntur *N FX R* ‖ 31
semel *N FX R* : inel *Aᵖᶜ* ‖ deus indulsit *transp. N FX R* ‖ aut autem
A N FX : enim *R* ‖ 32 *ante* iterum *add.* et *N FX R* ‖ illum *Om. N FX R* ‖
abuteris indulgentia *A Rig Oeh Krm* : uteris indulgentia *ND* uteris
indulgentiam *FX R* ‖ 33 sine modestia *A Rig Oeh Krm* : nec modestia
N nec modestiam *FX R* ‖ uteris *om. ND* ‖ a modo intellegitur *A Rig*

qui lui appartienne, aussi longtemps qu'elle n'est pas à lui, et cependant elle ne devient pas son épouse par un autre moyen que celui par lequel elle devient adultère. Les lois semblent faire une différence entre mariage et débauche ? — c'est en raison d'une distinction relative à ce qui est illicite, non en raison de la nature de la chose elle-même. Quelle est d'ailleurs la chose qui, chez les hommes comme chez les femmes, les incite tous au mariage et à la débauche ? — l'union charnelle, naturellement, dont le Seigneur a assimilé le désir à la débauche.

— condamnation du mariage ?   4. « Donc, dit-on, tu supprimes maintenant même les premières noces, c'est-à-dire les noces uniques ? » — Non sans raison ! Car elles reposent elles aussi sur ce sur quoi repose la débauche. Voilà pourquoi « le mieux pour l'homme est de ne pas s'approcher d'une femme », et pourquoi la sainteté de la vierge est éminente, parce qu'elle est exempte de tout ce qui se rapproche de la débauche. Et puisque ces considérations sur un premier et unique mariage peuvent être invoquées pour défendre la cause de la continence, combien plus encore constitueront-elles un préjugé en faveur du renoncement à un second mariage ! Sois reconnaissant si Dieu, par indulgence, t'a autorisé à te marier une fois. Et tu seras reconnaissant, si tu ignores que, par indulgence, il t'a autorisé à le faire une seconde fois. Tu abuseras d'ailleurs de son indulgence en en usant sans modération. « Modération » (modestia) tire son sens de « mesure » (modus). 5. Il ne te suffit pas d'être tombé, par le mariage, du degré le plus haut d'une virginité sans tache au deuxième degré : mais tu

---

Oeh Krm : animo iungitur N FX ammodo iungitur R^1R^2 a modo dicitur R^3 ‖ 34 immaculatae A Rig Oeh Krm : iunxere etiam ND FX R^1R^2 syncerae etiam coni. R^1 inuxorae etiam R^3 ‖ 35 gradu in secundum A R -um in -um N X secundum gradum in secundum F ‖ recidisse A Rig Oeh Krm : deliquisse N FX R

---

c. I Cor. 7, 1

adhuc deuolueris, et in quartum, et fortassis in plures, postquam in secunda statione continens non fuisti, quia nec
prohibere plures nuptias uoluit qui de secundis prouocandis
retractauit. Nubamus igitur quotidie, et nubentes ab ultimo
40 die deprehendamur, tamquam Sodoma et Gomorra[d], quo die
'uae' illud super praegnantes et lactantes[e] adimplebitur, id est
super maritos et incontinentes ; de nuptiis enim uteri et ubera
et infantes. Et quando finis nubendi ? Credo post finem
uiuendi.

X, 1. Renuntiemus carnalibus, ut aliquando spiritalia
fructificemus. Rape occasionem, etsi non exoptatissimam,
attamen opportunam, non habere cui debitum solueres et a
quo exsoluereris[a]. Desisti esse debitor : o te felicem !
5 Dimisisti debitorem : sustine damnum. Quid si, quod diximus
damnum, lucrum senties ? Per continentiam enim negotiaberis magnam substantiam sanctitatis, parsimonia carnis spiritum acquires. 2. Recogitemus enim ipsam conscientiam nostram, quam alium se homo sentiat, cum forte a sua femina

36 *ante* adhuc *add.* sed *A* || in quartum et fortassis in plures
postquam *A Rig Oeh Krm* : futuris impellis post enim quam *ND FX*
futuris impellis potes qui *R*¹*R*² futuris impelli potes qui *R*³ || 38 prohibe-
re *N FX R Oeh Rig* : prebere *A* praebere *Krm* || uoluit *codd.* : no- *Krm*
|| prouocandis *N FX R* : reu- *A* || 39 *ante* retractauit *add.* non *Krm* ||
quotidie *Rig* : quotidiae *A* cotidie *N F* cottidie *X R* || 41 adimplebitur *ante*
uae *N FX R* || super *N FX R* : supra *A* || et lactantes *om. A Rig* || 42 su-
per maritos *Rig Oeh* : supra — *A* maritos *N FX R Krm* || et incontinentes
A Rig Oeh Krm : -tiae *N FX R* || 43 et infantes *A Rig Oeh Krm* : -tis *N
FX R* || 44 uiuendi *A Rig Oeh Krm* : nubendi *ND FX R*¹*R*² *(cum sequen-
tibus coniungentes)* subandi *R*³

d. cf. Lc 17, 28-29   e. Matth. 24, 19.

X, 1 Renuntiemus *A Rig Oeh Krm* : renuncient tandem *N FX R* ||
post carnalibus *add.* fructibus *N FX R* || 2 fructificemus *A Rig Oeh
Krm* : retractemus *N FX R* || exoptatissimam *coni. R*² *(unde R*³*) Rig
Oeh Krm* : exoptissimam *A* exhortatissimam *ND FX R*¹*R*² || 3 opportu-
nam non habere *A Rig Oeh Krm* : desisti habere *N FX R* || solueres et

rouleras encore jusqu'au troisième, et jusqu'au quatrième, et peut-être jusqu'à d'autres, à partir du moment où tu n'as pas observé la continence dans le second état, parce qu'il n'a pas même voulu prendre la peine d'interdire plusieurs mariages celui qui s'est refusé à favoriser le second ! Marions-nous donc tous les jours ! et soyons surpris par le dernier jour en train de nous marier, comme Sodome et Gomorre, le jour où s'accomplira la menace : « Malheur aux femmes enceintes et à celles qui allaitent ! », c'est-à-dire aux gens mariés et aux incontinents, car c'est des noces que proviennent grossesses, allaitements et enfants. Et quand sera-t-il mis un terme aux noces ? Après le terme de la vie, je suppose !

X, 1. Renonçons aux choses de la chair, pour faire fructifier un jour celles de l'esprit. Saisis l'occasion, que tu n'a certes pas souhaitée, mais qui se présente opportunément, de n'avoir personne envers qui tu devrais t'acquitter de ton devoir et qui devrait s'acquitter du sien envers toi. Tu as cessé d'être débiteur : l'heureux homme ! Tu as cessé d'avoir un débiteur : supporte sa perte. Et si tu ressens comme un profit ce que nous venons d'appeler une perte ? Grâce, en effet, à la continence tu gagneras le bien considérable de la sainteté, par l'économie faite sur la chair tu acquerras l'esprit. 2. Examinons en effet notre propre conscience : comme on se sent un autre homme quand il arrive qu'on s'abstienne

---

Rig Oeh Krm : -re sed *A* -res *N FX R* ‖ 3-4 et a quo — debitor *om. N FX R* ‖ 4 felicem *N FX R Rig Oeh Krm* : fidelem *A* ‖ 5 dimisisti *A Rig Oeh Krm* : amisisti *ND FX R¹R²* om. *R³* ‖ sustine damnum. Quid *Rig Oeh Krm* : sustinendam numquid *A* similem damnum quod *ND FX R¹ R²* simile damnum. Quid *R³* ‖ quod *A Rig Oeh Krm* : non *ND FX R¹R²* si quod om. *R³* ‖ 6 senties *A Rig Oeh Krm* : -tientem *N FX R* ‖ negotiaberis *A coni.R²* (unde *R³*) *Rig Oeh Krm* : -ciauerimus *ND FX R¹R²* ‖ 7 sanctitatis *A Rig Oeh Krm* : necessi- *N FX R* casti- *coni.R²* ‖ parsimonia carnis *A coni.R² Rig Oeh Krm* : parcimonii carni *ND FX R¹* parcimonii carnis *R²* parsimoniae carnis *R³* ‖ 7-8 spiritum acquires *A Rig Oeh Krm* : saeuientis adquirens *FX R¹R²* seruientis adquirens *N R³* ‖ 9 ante alium *add.* alius *N FX R* ‖ forte a *om. N FX R*

---

a. cf. I Cor. 7, 3

10 cessat. Spiritaliter sapit ; si orationem facit ad dominum,
prope est caelo ; si scripturis incumbit, totus illic est ; si psal-
mum canit, placet sibi ; si daemonem adiurat, confidit sibi.
Ideo apostolus temporalem purificationem orationum com-
mendandarum causa adiecit[b], ut sciremus, quod ad tempus
15 prodest semper nobis exercendum esse, ut semper prosit.
Quotidie, omni momento oratio hominibus necessaria[c],
utique et continentia, postquam oratio necessaria est.
3. Oratio de conscientia procedit : si conscientia erubescat,
erubescit oratio. Spiritus deducit orationem ad deum. Si spi-
20 ritus reus apud se sit conscientiae erubescentis, quomodo
audebit orationem deducere ad altare, qua erubescente et ipse
suffunditur sanctus minister ? 4. Etenim est prophetica uox
ueteris testamenti[d] : *Sancti eritis, quia et deus sanctus,* et
rursus : *Cum sancto sanctificaberis, et cum uiro innocenti
25 innocens eris et cum electo electus[e].* Debemus enim ita
ingredi in disciplina domini ut dignum est[f], non secundum
carnis squalentes concupiscentias. 5. Ita enim et apostolus
dicit[g] quod sapere secundum carnem mors sit, secundum

10 spiritaliter sapit *om. N FX R* || facit ad dominum *N FX R* : faciat a
domino *A* || 11 *ante* prope *add.* in *N FX R* || si[1] *om. A Rig* || scripturis
A Rig Oeh Krm : -rae *N FX R* || 12 si daemonem — sibi *om. N FX R* || 13
temporalem *om. N FX R Rig* || purificationem orationum *A Rig Oeh
Krm* : -ni -nem *N FX R* || commendandarum *Rig Oeh Krm* : commen-
darum *A* -dauit *N FX R* || 14 causa adiecit ut sciremus *A Rig Oeh
Krm* : causantes id *ND FX R[1]R[2]* causatus id *R[3]* || 15 prodest *A Rig
Oeh Krm* : permiserat *N FX R* || exercendum *A coni. R[2] (unde R[3]) Rig
Oeh* : -cere *ND FX R[1]R[2] Krm* || ut *A Rig Oeh Krm* : quod *N FX R* || 16
quotidie *A Rig Oeh* : si cotidie *N FX R Krm* || necessaria *N FX R* :
necessaria est *Rig Oeh Krm* necesse est *A* || 17 postquam oratio
necessaria est *A Rig Oeh Krm* : quae orationi necessaria sit *N FX R* ||
post oratio *distinxit Krm* || 18-19 erubescat erubescit *A Rig Oeh Krm* :
erubescit erubescat *FX R* erubescat *om. N* || 19-20 oratio — erubes-
centis *om. ND* || 19 deducit *A Rig Oeh Krm* : ducit *N FX R* || 20
conscientiae erubescentis *A Rig Oeh Krm* : -tia erubescit *FX R* || 21
deducere *A Oeh Krm* : ducere *N FX R Rig* || ad altare *N FX R Oeh* : ab
alia re *A* ab illa de *Rig* ab alia rea *Krm* || 21-22 qua — minister *om. N
FX R* || 22 etenim *A Rig Oeh Krm* : sic etenim *N FX R* || est *N FX R* :
et *A* || 23 eritis *A Rig Oeh Krm* : erimus *N FX R* || et[1] *om. A Rig Oeh*

d'avoir des rapports avec sa femme ! On accède à la sagesse spirituelle : fait-on une prière au Seigneur ? on est proche du ciel ; se penche-t-on sur les Écritures ? on y est tout entier ; chante-t-on un psaume ? on s'y complaît ; conjure-t-on un démon ? on a confiance en sa propre force. Voilà pourquoi l'Apôtre nous a demandé en outre, pour recommander nos prières, la purification temporaire : afin que nous sachions que ce qui est utile pour un temps, nous devons le pratiquer en permanence, pour que son utilité soit permanente. Chaque jour, à tout instant, la prière est une nécessité pour l'homme, et naturellement aussi la continence, dès lors que la prière est une nécessité. 3. La prière procède de la conscience : la conscience vient-elle à rougir ? la prière rougit également. L'esprit conduit la prière jusqu'à Dieu. Si l'esprit se sent coupable de ce que la conscience rougit, comment osera-t-il conduire la prière jusqu'à l'autel, puisque, quand elle rougit, lui-même, le saint ministre, est couvert de confusion ? 4. Et en outre il y a cette parole prophétique de l'Ancien Testament : « Vous serez saints, parce que Dieu aussi est saint », et encore : « Avec celui qui est saint tu seras sanctifié ; avec celui qui est innocent tu seras innocent ; avec celui qui est élu tu seras élu ». Nous devons en effet avancer dans la discipline du Seigneur, comme il est digne de le faire, et non selon les désirs dégoûtants de la chair. 5. Et l'Apôtre dit également, en effet, que penser selon la chair c'est la mort, mais que penser

Krm ‖ 24 sanctificaberis *A Rig Oeh Krm* : -ficaris *N FX R* ‖ innocenti *A Oeh Krm* : -cente *N FX R Rig* ‖ 25 innocens *N FX R Rig Oeh* : -cuus *A Krm* ‖ et cum electo electus *om. ND* electus eris *FX R* ‖ 26 ut dignum est *A Rig Oeh* : ut deo dignum fructum *N FX R Krm qui post* fructum *lacunam indicat* ‖ 27 squalentes concupiscentias *A Oeh Krm* : exsqualentiae concupiscentiam *N* exsqualentie concupiscentia erit *F* squalentie concupiscerit *X* exsqualentiae concupiscentia *R¹R²* exsqualentiae concupiscentiam *R³* calentes concupiscentias *Rig* ‖ 28 sit *A Rig Oeh Krm* : est *N FX R*

b. cf. I Cor. 7, 5   c. cf. Lc 18, 1   d. Lév. 19, 2 ; 20, 7-26 (I Pierre 1, 16)   e. Ps. 17, 26-27   f. Éphés. 4, 1 ; Col. 1, 10 ; I Thess. 2, 12. g. Rom. 8, 6.

spiritum uero sapere uita aeterna sit in Christo Iesu domino
30 nostro. Item per sanctam prophetidem Priscam ita euangelizatur, quod sanctus minister sanctimoniam nouerit ministrare. Purificantia enim concordat, ait, et uisiones uident, et
ponentes faciem deorsum etiam uoces audiunt manifestas,
tam salutares quam et occultas. 6. Si haec obtusio, etiam
35 cum in unis nuptiis res carnis exercetur, spiritum sanctum
auertit, quanto magis, cum in secundo matrimonio agitur ?

XI, 1. Duplex enim rubor est, quia in secundo matrimonio
duae uxores eundem circumstant maritum, una spiritu, alia in
carne. Neque enim pristinam poteris odisse, cui etiam religiosiorem reseruas affectionem, ut iam receptae apud dominum,
5 pro cuius spiritu postulas, pro qua oblationes annuas reddis.
2. Stabis ergo ad dominum cum tot uxoribus quot in oratione
commemores et offeres pro duabus et commendabis illas
duas per sacerdotem de monogamia ordinatum aut etiam de
uirginitate sancitum, circumdatum uiduis uniuiris ? et ascen-
10 det sacrificium tuum libera fronte, et inter cetera bonae
mentis postulabis tibi et uxoris castitatem ?

30-34 item − occultas *om.* N FX R Rig ‖ 34 *post* quam et occultas
capita distinxit Krm ‖ obtusio N FX R Rig Oeh : optusio A obfusio
Sem Krm ‖ 35 res A Rig Oeh Krm : in nos N FX R ‖ 36 cum *om.* A F

XI, 1 rubor est A N FX Rig Oeh : est rubor est R^1R^2 iste rubor est R^3
Krm ‖ 2 in *om.* N FX R ‖ 3 neque A Rig Oeh Krm : nec N FX R ‖
pristinam A *coni.* R^2 *(unde R^3)* Rig Oeh Krm : -na ND FX R ‖ 3-4
religiosiorem reseruas A Rig Oeh Krm : clariorem reseruans N FX
R^1R^2 clariorem reseruas R^3 ‖ 4 ut iam receptae A Rig Oeh Krm :
etiam repete N FX R ‖ dominum A Rig Oeh Krm : deum N FX R ‖ 5
reddis A Rig Oeh Krm : -das N X R -dasset F ‖ 6 dominum Rig Oeh
Krm : -no A deum N FX R ‖ uxoribus A R^3 : -res ND FX R^1R^2 ‖ quot in
oratione Vrs Rig Oeh Krm : quod in oratione A quot illas orationi N FX
R^1R^2 quot illas oratione R^3 ‖ 7 commemores A Krm : -ras ND FX R
Rig Oeh ‖ offeres A *coni.* R^2 *(unde R^3)* Rig Oeh Krm : offers N FX R^1

selon l'esprit c'est la vie éternelle, dans le Christ Jésus notre Seigneur. De la même façon, il est annoncé par la sainte prophétesse Prisca que le saint ministre sait être le ministre de la sainteté. « Car, dit-elle, la pureté apporte l'harmonie, et ils voient des visions, et inclinant bas leur visage ils entendent aussi des paroles distinctes, aussi salutaires que mystérieuses ». 6. Si donc, même lorsque l'œuvre de chair s'exerce dans des noces uniques, une telle honte détourne l'Esprit Saint, à combien plus forte raison est-ce le cas quand elle opère dans un second mariage !

XI, 1. Double en effet est alors la honte, car dans un second mariage deux épouses entourent le même mari, l'une en esprit, l'autre charnellement. Et en effet tu ne pourras pas éprouver d'aversion à l'égard de l'ancienne, à laquelle tu réserves une affection empreinte même d'une plus grande piété, dans la mesure où elle est déjà reçue auprès du Seigneur, pour l'esprit de laquelle tu pries, pour laquelle chaque année tu offres le saint sacrifice. 2. Tu te présenteras donc devant le Seigneur avec autant d'épouses que tu en rappelles le souvenir dans ta prière ? et tu offriras le saint sacrifice pour deux épouses ? tu les recommanderas toutes deux par l'intermédiaire du prêtre dont la monogamie a permis l'ordination ou même que sa virginité a sanctifié, qui n'est entouré que de veuves mariées une seule fois ? et ton sacrifice s'élèvera, sans que tu éprouves de gêne ? et entre autres faveurs révélant de bons sentiments tu iras jusqu'à demander pour toi la chasteté de ton épouse ?

R^2 ‖ commendabis *A Rig Oeh Krm* : commemorabis *N FX R* ‖ 8 *ante* per sacerdotem *add.* et *ND FX* R^1R^2 ‖ ordinatum aut etiam *A Rig Oeh Krm* : ob pristinum *N FX R* ‖ 9 uiduis *A Oeh Krm* : uirginis *ND FX* R^1R^2 uirginibus et *coni.* R^2 uirginibus ac *G* R^3 *Rig* ‖ ascendet *A coni.* R^2 *(unde* R^3) *Rig Oeh Krm* : -dit *ND FX R* ‖ 10-11 bonae mentis *Oeh* : fronte ne mentis *A* uoluntas bonae mentis *ND FX* R^1R^2 ceteras uoluntates bonae mentis R^3 *Rig* uolutans < si > bonae mentis *Krm* ‖ 11 uxoris *A ND FX* R^1R^2 *Krm* : -ri *coni.* R^2 *(unde* R^3) *Rig Oeh*

XII, 1. Scio quibus causationibus coloremus insatiabilem carnis cupiditatem. Praetendimus necessitates adminiculorum : domum administrandam, familiam regendam, loculos, claues custodiendas, lanificium dispensandum, uictum procu-
5 randum, curas comminuendas. Scilicet solis maritorum domibus bene est. Perierunt caelibum familiae, res spadonum, fortunae militum aut peregrinantium sine uxoribus. Non enim nos et milites sumus[a], eo quidem maioris disciplinae, quanto tanti imperatoris ? Non et nos peregri-
10 nantes[b] in isto saeculo sumus ? Cur autem ita dispositus es, o Christiane, ut sine uxore non possis ? 2. Nunc et consors onerum domesticorum necessaria est ? Habe aliquam uxorem spiritalem. Assume de uiduis fide pulchram, paupertate dotatam, aetate signatam : bonas nuptias feceris. Huiusmodi
15 uxores etiam plures haberi deo gratum est. 3. Sed posteritatem recogitant Christiani, quibus crastinum non est[c] ? Haeredes dei seruus desiderabit, qui semetipsum de saeculo exhereditauit ? Et ideo quis repetat matrimonium, si de

---

XII, 1 causationibus *A Rig Oeh Krm* : excusa- *N FX R* ‖ coloremus *A FX R* : -mur *ND* ‖ insatiabilem *A R* : -bili *ND* -abi *FX* ‖ 2 cupiditatem *A R* : -te *ND FX* ‖ praetendimus *A Rig Oeh Krm* : ex quibus *N FX R* ‖ adminiculorum *N FX R* : admicu- *A* ‖ 3 domum *A Rig Oeh Krm* : descendunt *N FX R* ‖ regendam *A N FX R¹R²* : -dos *G R³ cum sequentibus coniungentes* ‖ 4 lanificium dispensandum *R³ Rig Oeh Krm* : lanificandis pensandam *N* lanificandis pensandum *FX R¹R²* lanificam dispensandam *D* lanificia dispensanda *coni. Salm* lanificandis dispensandum *coni. Pithoeus om. A* ‖ 5 comminuendas *Oeh* : communiendas *A Rig* domesticas *N FX R* communicandas *Krm* ‖ 6 domibus *A N coni. R¹ (unde R²R³)* : -nibus *N FX R¹* ‖ caelibum *A R³ Rig Oeh Krm* : caelestibus *ND FX R¹* caelibibus *coni. R¹ (unde R²)* ‖ familiae res *A Rig Oeh Krm* : familiares *ND FX R¹R²* familiae *R³* ‖ 7 fortunae *A Rig Oeh Krm* : familiae *ND F* famulae *X R¹R²* om. *R³* ‖ 8 et nos milites *transp. N FX R Krm* ‖ 9 quanto *A Rig Oeh Krm* : quo et *N FX R* ‖ non *N FX R* : nonne *A* ‖ 10-11 es o christiane *A Rig Oeh Krm* : est christianus *N FX R* ‖ 11 *ante* nunc *add.* sit *Krm* ‖ consors *A Rig Oeh Krm* : -sortium *N FX R* ‖ 12 necessaria *A Rig Oeh Krm* : -ium *N FX R* ‖ 13-14 dotatam aetate *om. A* ‖ 15 uxores etiam *A Rig Oeh Krm* : uxor has *FX R* uxor hes *ND* ‖ plures haberi *A Rig Oeh Krm* : te plures habere *N FX R* ‖ 15-16 posteritatem recogitant *A Rig Oeh Krm* : posteriori

— les « soucis   **XII,** 1. Je sais de quelles
du ménage »   excuses nous colorons l'insatia-
                        ble désir de la chair. Nous met-
tons en avant la nécessité d'être aidés : administration de la
maison, direction des esclaves, garde des coffres et des clefs,
répartition du travail de la laine, soin de la nourriture,
partage des soucis. Apparemment que tout ne va bien que
dans les maisons des hommes mariés ! Et c'est une catas-
trophe pour les esclaves des célibataires, les biens des
eunuques, la fortune des soldats ou des voyageurs sans
épouses ! Ne sommes-nous pas aussi des soldats, et d'une
discipline d'autant plus sévère que nous le sommes d'un
empereur plus grand ? Ne sommes-nous pas aussi des voyageurs en ce siècle ? Pourquoi, toi qui es chrétien, t'es-tu mis
dans une telle situation que tu ne puisses rester sans épouse ?
2. Et maintenant une femme t'est nécessaire pour partager
les charges domestiques ? Aie donc une épouse spirituelle.
Prends-la parmi les veuves : belle de sa foi, riche de sa
pauvreté, marquée du sceau de l'âge ; tu auras fait un beau
mariage. Avoir cette sorte d'épouse, et même plusieurs, est
chose agréable à Dieu.

— le désir d'assurer   3. Mais, dira-t-on, que les
sa descendance   chrétiens pensent à leur posté-
                        rité, eux pour qui demain n'exis-
te pas ? Le serviteur de Dieu désirera-t-il des héritiers, lui qui
est volontairement un déshérité du siècle ? Et serait-ce une

tempore cogitant *ND FX R* de p.t.c. *R²R³* ‖ 17 desiderabit *A R* : -auit
N FX ‖ 18 exhereditauit *A R³ Oeh Krm* : exheredauit *ND FX R¹R² Rig*
‖ et ideo quis *A Rig Oeh* : ut ergo quis *ND FX R¹R²* ut ergo quid *coni.*
R¹ (unde R³) et ideo quin *Krm* ‖ repetat *A Rig Oeh Krm* : -tis *ND FX*
R¹R² -tit *R³* ‖ si *A Rig Oeh Krm* : om. *ND FX R¹R²* cum *coni.R¹ (unde*
R³)

a. cf. II Tim. 2, 3   b. cf. I Pierre 2, 11   c. cf. Matth. 6,
34

pristino non habeat liberos ? Habebit itaque hoc primum
20 bonum, ut diutius uelit uiuere, ipso apostolo festinante ad
dominum^d ? Certe expeditissimus in persecutionibus,
constantissimus in martyriis, promptissimus in communicationibus rerum, temperantissimus in acquisitionibus,
postremo securus morietur, relictis filiis, forsitan qui illi
25 parentent. 4. Numquid ergo huiusmodi et rei publicae prospectu aguntur ? ne ciuitates deficiant, si suboles non exerceantur, ne legis iura, ne commercia delabantur, ne templa
derelinquantur, ne non sint qui acclament 'Christianis
leonem !' Haec enim audire desiderant qui filios quaerunt.
30 5. Sufficiat ad consilium uiduitatis uel ista, praecipue apud
nos, importunitas liberorum, ad quos suscipiendos legibus
compelluntur homines, quia sapiens quisque numquam libens
filios desiderasset. Quid ergo facies, si nouam uxorem de tua
conscientia impleueris ? dissoluas medicaminibus concep-
35 tum ? Puto nobis magis non licere nascentem nocere quam et
natum. Sed fortasse illo tempore praegnantis uxoris reme-

19 habeat *N FX R^{1}R^3 Rig Oeh Krm* : habebat *A* habeas *coni. R^1 R^3* ∥
habebit *om. N FX R* ∥ 20 bonum *om. N FX R Rig* ∥ *ante* ut diutius
add. secundum *Krm* ∥ ut diutius *A Rig Oeh Krm* : diutius uti *N FX R* ∥
uelit *A Rig Oeh Krm* : uoluit *N FX* uolunt *R* ∥ uiuere *om. N FX R* ∥ 21
dominum *N FX R* : -no *A* ∥ certe expeditissimus *om. N FX R crucem
indicauit R^3* ∥ 21-22 persecutionibus — promptissimus in *om. A* ∥ 22
constantissimus ... promptissimus *Rig Oeh Krm* : -mum ... -mum *N FX
R* ∥ 23 temperantissimus *A Rig Oeh Krm* : -ratissimum *N FX R* ∥ 24
securus morietur *A Rig Oeh Krm* : uesurus morte *ND* usuris morte *F R*
usuriis morte *X* ∥ relictis *A Rig Oeh Krm* : -linquendis *N X R*
delinquendis *F* ∥ forsitan *A Rig Oeh Krm* : forsan *N FX R* ∥ 24-25 qui
illi — huiusmodi et *om. N FX R* ∥ 26 ne ciuitates *A Rig Oeh Krm* : nec
diuites *ND F^{ac}* ne diuites *F^{pc}X R* ∥ exerceantur *A Rig Oeh Krm* :
habent *N FX R* ∥ 27 legis iura *A Oeh Krm* : leges ne iura *N FX R Rig* ∥
delabantur *A R* : -beantur *ND FX* ∥ ne *A R^{2}R^3 Rig Oeh Krm* : nec *N FX
R^1* ∥ 28 non sint *A R^3 Rig Oeh Krm* : non modo sint *ND FX R^{1}R^2*
modo non sint *Iun* ∥ acclament *A Rig Oeh Krm* : ex- *N FX R* ∥ 28-29
christianis leonem *A Rig Oeh Krm* : christiani illius nescio *ND FX R^{1}R^2*
christiani ad bestias *R^3* ∥ 30 sufficiat *N FX R Krm* : -ciant *A Rig Oeh* ∥
ad *coni. R^2* add. *R^3* ∥ uiduitatis *N FX R* : diuini- *A* ∥ praecipue *A Rig*

raison de contracter un nouveau mariage que de n'avoir pas d'enfants de l'ancien ? Il considèrera donc comme le premier de tous les biens de vouloir vivre longtemps, alors que l'Apôtre, quant à lui, se presse vers le Seigneur ? Mais sans doute sera-t-il très disponible dans les persécutions, très ferme dans le martyre, très prompt à partager ses biens, très modéré à en acquérir, enfin mourra-t-il en toute tranquillité, s'il laisse des enfants, peut-être pour qu'ils lui rendent les derniers devoirs ! 4. Serait-ce donc qu'on agit de cette façon dans l'intérêt de l'État ? dans la crainte que ne déclinent les cités si l'on néglige la natalité, que ne se dégradent les droits issus de la loi et les activités commerciales, que ne soient délaissés les temples, qu'il n'y ait personne pour crier : « Un lion pour les chrétiens ! »... Tels sont en effet les mots que désirent entendre ceux qui veulent des enfants. 5. Ce devrait être, surtout chez nous, un motif suffisant de rester veufs ne fût-ce que cette charge que constituent les enfants, et que les lois poussent à avoir, car aucun sage n'aurait jamais spontanément désiré des enfants. Que feras-tu donc, si tu rends ta nouvelle épouse enceinte et le sais ? tu prendrais des médicaments pour tuer le fœtus ? Il ne nous est pas plus permis, je pense, de faire du mal à un enfant qui va naître qu'à un enfant qui est né. Mais peut-être, pendant la grossesse de ta femme, auras-tu l'impudence de demander à Dieu le remède à

Oeh Krm : -pua *N FX R* ‖ apud *A Rig Oeh Krm* : aut *ND FX R¹R²* in *coni.R¹* causa *R³ (omisso* nos*)* ‖ 31 suscipiendos *A R* : suspiciendos *N FX* ‖ 33 nouam *A Rig Oeh* : nolis *N FX R¹R²* nolens *coni.R² Ciac Krm om. R³* ‖ 34 dissoluas *A Rig Oeh Krm* : -uturus es *N X R* -uturus *F* ‖ medicaminibus *A Rig Oeh Krm* : -mine *N F X R* ‖ 35 magis non licere *A Krm* : non licere *N F X R* tam non licere *coni.R¹* non magis licere *Rig Oeh* ‖ nocere *A Rig Oeh* : necare *N F X R Krm* ‖ 36 sed fortasse *A Rig Oeh Krm* : seu forte *ND FX R* ‖ ante illo *add.* in *A Krm* ‖ 37 tantae sollicitudini *A Rig Oeh Krm* : -tum -num *ND* -tam -nem *R¹ R²* -um -em *FX* -a -e *R³*

d. cf. Phil. 1, 23.

dium tantae sollicitudini a deo petere audebis, quod in te
positum recusasti ? 6. Aliqua, opinor, sterilis prospicietur,
iam uel frigidioris aetatis. Satis consulte et imprimis fideliter.
40 Nullam enim credidimus deo uolente sterilem aut anum
enixam. Quod adeo magis euenire potest, si quis praesump-
tione huius prouidentiae suae dei aemulationem prouocarit.
Scimus denique quendam ex fratribus, cum propter filiam
suam secundo matrimonio sterilem captasset uxorem, tam
45 iterum patrem factum quam et iterum maritum.

XIII, 1. Ad hanc meam cohortationem, frater dilec-
tissime, accedunt etiam saecularia exempla, quae saepe
nobis etiam in testimonio posita sunt, cum quid bonum et
deo placitum ab extraneis quoque agnoscitur et testimonio
5 honoratur. Denique monogamia apud ethnicos ita in summo
honore est, ut et uirginibus legitime nubentibus uniuira
pronuba adhibeatur ; et si auspicii causa, utique boni auspicii
est ; item, ut in quibusdam sollemnibus et officiis prior sit
uniuirae locus. Certe Flaminica non nisi uniuira est ; quae et
10 Flaminis lex est. Nam quod ipsi Pontifici Maximo iterare

37-38 quod in te positum *A R*³ *Rig Oeh Krm* : quod interpositum *ND FX*
quid interpositum *R*¹*R*² *lacunam ante* quod in te positum *indicauit Krm* ||
38 recusasti *N FX R* : recusanti *A Krm* || opinor aliqua *transp. N FX R*
39 iam uel *A Rig Oeh Krm* : uel etiam *N FX R* || 39-40 frigidioris — ste-
rilem aut *om. N FX R* || 40-41 anum enixam *A Rig Oeh Krm* : anus quis
enixa *ND FX R*¹*R*² anus saepius enixa *R*³ || 41 quod adeo *A Rig Oeh
Krm* : quod a domino *N FX R*¹*R*² quid a domino *D R*³ || 41-42 prae-
sumptione huius *A Rig Oeh Krm* : -tionem eius *N FX R* || 42 prouiden-
tiae suae *A Rig Oeh Krm* : pro *N FX R* || aemulationem prouocarit *A
Rig Oeh Krm* : -tione -ret *N FX R* || 43 quendam *A N R* : quedam *FX* ||
fratribus *A Rig Oeh Krm* : pat- *N FX R* || filiam *A Rig Oeh Krm* : famil-
N FX R || 45 iterum¹ *N FX R* : terum *A*

XIII, 1 cohortationem *A Rig Oeh Krm* : contentionem *N FX R.* || 2
accedunt *A Rig Oeh Krm* : uidemus *N FX R* || saecularia *A Rig Oeh
Krm* : saeculi *N FX R* || 3 quid *A N FX* : quod *R* || 4 ab extraneis
quoque agnoscitur et *A Rig Oeh Krm* : uidetur *N FX R* || 5 honoratur

un si grand souci, alors que tu l'as refusé quand il était à ta disposition ? 6. On aura en vue, je suppose, une femme stérile, ou dont l'ardeur soit refroidie par l'âge ? C'est bien réfléchi, et tout à fait digne d'un fidèle ! En effet, nous ne croyons pas que, selon la volonté divine, une femme stérile ou âgée a eu des enfants ! Alors que cela a encore plus de chances de se produire si l'on provoque l'émulation de Dieu en préjugeant de sa providence ! Nous savons, par exemple, qu'un de nos frères, en secondes noces, avait épousé, à cause de sa fille, une femme stérile : pour la seconde fois, il devint père comme il était, pour la seconde fois, devenu mari.

Exemples de monogamie,   XIII, 1. Aux motifs de ma pré-
**   païens...**   sente exhortation, frère très aimé,
                                s'ajoutent aussi les exemples du siècle, qui nous sont souvent aussi présentés comme un témoignage, quand quelque chose de bien et qui plaît à Dieu est également reconnu par ceux qui sont étrangers à la foi, et reçoit une marque d'honneur en devenant témoignage. Ainsi la monogamie est-elle en très grand honneur chez les païens, à tel point que, aux jeunes filles qui célèbrent de justes noces, on donne, pour les conduire, une femme qui n'a été mariée qu'une fois — et si c'est pour le présage, c'est assurément d'un bon présage ; à tel point, également, que pour certaines cérémonies et certaines fonctions la femme mariée une seule fois à la préséance. En tout cas, la femme du flamine ne doit avoir été mariée qu'une fois, ce qui est aussi la règle pour le flamine. Quant au fait que le grand pontife lui-même ne

Oeh Krm : oneratur *A N FX R* ‖ denique *om. N FX R* ‖ ita *om. N FX R* ‖ 6 et *om. A* ‖ 6-7 uniuira pronuba *A R* : uni uiri a pronuba *ND FX* ‖ 7-8 causa utique boni auspicii est *A Rig Oeh Krm* : initium est *N FX R* ‖ 8 ut *om. N FX R* ‖ officiis *A Rig Oeh Krm* : auspiciis ut *FX R* auspiciis uniuirae ut *ND* ‖ 9 flaminica *A N Rig Oeh Krm* : plaminica *FX* flaminia *R* ‖ uniuira *A N R* : -uiria *D FX* ‖ 9-10 et flaminis *A Rig Oeh* : flamina *ND* flaminina *FX* flaminia *R* si et flaminis *Krm* ‖ 10 nam quod *D FX R¹R² Oeh* : nam et quod *N* nam *A Krm* nam duo *R³* nam cum *Rig* ‖ pontifici *FX R* : -fice *A* -ficum *ND*

matrimonium non licet utique monogamiae gloria est.
2. Cum autem dei sacramenta satanas affectat, prouocatio est
nostra, immo suffusio, si pigri simus ad continentiam deo
exhibendam, quam diabolo quidam praestant, nunc uirgini-
15 tate, nunc uiduitate perpetua. Nouimus uirgines Vestae, et
Iunonis apud Achaiae oppidum, et Apollinis apud Delphos,
et Mineruae et Dianae quibusdam locis. Nouimus et continentes uiros, et quidem tauri illius Aegyptii antistites :
feminas uero Cereri Africanae, cui etiam sponte abdicato
20 matrimonio assenescunt, auersantes exinde contactum mas-
culorum usque ad oscula filiorum. Inuenit scilicet diabolus
post luxuriam etiam castitatem perditricem, quo magis reus
sit Christianus qui castitatem recusauerit conseruatricem.
3. Erunt nobis in testimonium et feminae quaedam saeculares
25 ob uniuiratus obstinationem famam consecutae ; aliqua
Dido, quae profuga in alieno solo, ubi nuptias regis ultro
optasse debuerat, ne tamen secundas experiretur, maluit e
contrario uri quam nubere ; uel illa Lucretia, quae etsi semel

---

11 matrimonium *A Rig Oeh Krm* : -nia *N FX R* ‖ utique *A Rig Oeh
Krm* : quod *N FX R secl. Lat* ‖ 12 dei sacramenta satanas *Rig Oeh
Krm* : dei -to satanas *A* deus summus tantum satanas *N FX R* ‖
affectat *A Rig Oeh Krm* : ad perficiendum *N FX R* ‖ 12-13 prouocatio
est nostra *A X R Rig Oeh Krm* : -tionem nostram *ND F* ‖ 13 suffusio *A
Rig Oeh Krm* : subfusio *R²R³* subfuso *ND FX R¹* ‖ pigri simus *A Oeh
Krm* : pigri sumus *Rig* pigrissimum *ND FX R¹* pigrissimorum *coni. R¹
(unde R²R³)* ‖ 14 quam *A Rig Oeh Krm* : qua *N FX R* ‖ quidam
praestant *A Rig Oeh Krm* : quidam stant *ND R¹R²* quedam stant *FX*
qui antistant *R³* ‖ 15 perpetua *A Rig Oeh Krm* : periurant *ND FX R¹R²*
perdurant *coni. R¹* euirant *R³* ‖ nouimus *A Rig Oeh Krm* : noueram *N
FX R* ‖ uirgines *A R* : -nis *N FX* ‖ 15-16 et Iunonis *om. N FX R* ‖ 16
Achaiae oppidum *A Rig Oeh Krm* : achanum *ND FX R* Achaiam *coni.¹
R²* ‖ Apollinis *A coni. R² Rig Oeh Krm* : atrocis *N F R* a beocis *X* ‖
Delphos *N FX R Oeh Krm* : Ephesos *A Rig* ‖ 17 et Dianae *om. A Rig* ‖
quibusdam *A Rig Oeh Krm* : quibus *N FX R* ‖ 17-18 nouimus et continentes *A Rig Oeh* : noueram continentiae *ND FX R¹R²* noueram continentes *R³* nouimus et continentes et uiros *Krm* ‖ 18 Aegyptii *A R* :
aegypti *N F* egypti *X* ‖ 19 Cereri *A ND Rig Oeh* : Caereris *FX R Krm* ‖

puisse pas se remarier, c'est assurément la gloire de la monogamie. 2. Et quand Satan imite les observances consacrées
par Dieu, c'est un défi qui nous est lancé, ou plutôt c'est une
honte pour nous si nous hésitons à pratiquer pour Dieu la
continence dont certains font preuve pour le Diable, en
demeurant sans défaillance soit dans la virginité soit dans le
veuvage. Nous connaissons les vierges de Vesta, et celles de
Junon dans une ville d'Achaïe, d'Apollon à Delphes, de
Minerve et de Diane en divers endroits. Nous connaissons
aussi des continents : des hommes — les prêtres du taureau
égyptien, et des femmes — celles qui appartiennent à Cérès
l'Africaine, pour qui elles vieillissent dans un renoncement
volontaire aux droits du mariage, repoussant dès lors tout
contact avec les hommes et jusqu'aux baisers de leurs fils.
Apparemment que le Diable a trouvé aussi la chasteté, après
la luxure, comme instrument de perdition, afin que soit
d'autant plus coupable le chrétien qui aura refusé cet
instrument de salut qu'est la chasteté. 3. Elles constitueront
aussi pour nous un témoignage certaines femmes païennes
qui ont acquis la célébrité pour leur attachement à n'être
l'épouse que d'un seul homme : une Didon, qui en fuite sur
un sol étranger où elle aurait dû souhaiter spontanément le
mariage avec un roi, pour ne pas connaître cependant un
second mariage, préféra au contraire « brûler » plutôt que se
marier ; ou encore Lucrèce, qui bien qu'elle n'eût subi qu'une

---

etiam *A F R*[3] : etiam et *N X R*[1]*R*[2] || 20 auersantes *om. N FX R* || con-
tactum *A Rig Oeh Krm* : quo pacto *ND FX R*[1]*R*[2] contactu *coni. R*[2]
(unde R[3]*)* || 21 scilicet *om. N FX R* || 22 etiam *om. N FX R* ||
castitatem *A R*[1]*R*[2] : -tate *ND FX* -tatis *G R*[3] || magis *A Rig Oeh Krm* :
modo *N FX R* || 24 et *A R* : ut *ND FX* || 25 famam *A R*[3] *Rig Oeh Krm* :
femina *ND FX R*[1]*R*[2] || consecutae *A R*[3] *Rig Oeh Krm* : consequetur
ND FX R[1]*R*[2] || 25-26 aliqua Dido *A Rig Oeh Krm* : aut diuino *ND FX*
R[1]*R*[2] aut Dido *coni. R*[1] ut Dido *R*[3] || 26 *post* regis *add.* solo *ND FX R*[1]
|| 27 experiretur *A F R* : -ritur *N X* || e *om. ND FX R*[1] || 28 uri quam
om. ND FX R[1] || etsi *A Rig Oeh Krm* : et *FX R*[1]*R*[2] ut *R*[3] *om. N*

per uim et inuita alium uirum passa est, sanguine suo macu-
30 latam carnem abluit, ne uiueret iam non sibi uniuira. Plura
exempla curiosius de nostris inuenias, et quidem alteris
potiora, quanto maius est uiuere in castitate quam pro ea
mori. Facilius animam ponas quia bonum amiseris, quam
uiuendo serues ob quod emori malis. 4. Quanti igitur et quan-
35 tae in ecclesiasticis ordinibus de continentia censentur, qui
deo nubere maluerunt, qui carnis suae honorem restituere,
quique se iam illius aeui filios dicauerunt, occidentes in se
concupiscentiam libidinis, et totum illud quod intra paradisum non potuit admitti ! Vnde praesumendum est hos qui
40 intra paradisum recipi uolent tandem debere cessare ab ea re
a qua paradisus intactus est.

29 alium *A N R* : alia *FX* || maculatam *A R²R³ Rig Oeh Krm* : -ta *ND
FX R¹* || 30 uiueret *N FX R* : -uere *A* || uniuira *A N R* : -uiria *D FX* || 31
curiosius *A Rig Oeh* : certa *N FX R* curiose *Krm* || inuenias *A Rig Oeh
Krm* : -niam *N FX R* || alteris *Oeh* : aliter *A ND FX R¹R²* tanto *R³ Rig*
alteris tanto *Krm* || 32 quanto maius *R³* : quia facilius *A* quam in
anima *ND FX R¹R²* quia maius *Oeh* quanto facilius *Rig* quam maius
Krm || 32-33 ea mori *coni. R²* (unde *R³*) *Rig Oeh Krm* : amori *A* ea
mereri *ND F R¹R²* ea merere *X* || 33 facilius animam ponas quia *A
Oeh Krm* : in cuius animam id *N FX R¹R²* hoc est animae id *R³ Rig* ||
34 serues ob quod emori malis *Oeh* : serues id quod amori malis *A*
separati omni a malo *ND FX R¹R²* separari animam *R³* quam non
uiuendo separari *Rig* serues id < ob > quod emori malis *Krm* || quanti *A
N FX R¹R²* : -tae *R³* || quantae *A Rig Oeh Krm* : que *N FX* quae *R* qui
D || 35 ecclesiasticis ordinibus *A Rig Oeh Krm* : ecclesiis ordinari *N FX
R* || de continentia censentur *A Rig Oeh Krm* : in ecclesia solent *N FX
R* || 36 restituere *A Oeh* : -runt *Rig Krm* instituerunt *N FX R* || 37 aeui
filios *A Rig Oeh Krm* : pudoris filias *N FX R* || 38 intra *A N FX G R³* :
inter *R¹R²* || 39 admitti *N FX R* : amitti *A* || 40 uolent *A Rig Oeh Krm* :
-lunt *N FX R* || 41 intactus *A Rig Oeh Krm* : instructus *ND FX R¹R²*
obstructus *R³* || post est pergunt : gratia ergo (gratia *om. ND*) cum
indulgenti hec memento orationibus tuis tertullianum ad hec exercentes *ND FX R*, *ubi haec adnotanda sunt* : indulgenti : intelligenti *coni. R¹*
(unde *R³*) ; tertullianum : -ni *R³* ; exercentes : exhortantis *R³*

de exhortatione castitatis explicit *A* TERTULLIANI DE
EXHORTATIONE CASTITATIS EXPLICIT *N* explicit tertulliani de
exhortatione castitatis *F nulla subscriptio in X*

seule fois, sous la violence, malgré elle, un autre homme, a lavé dans son propre sang la souillure imposée à sa chair, pour ne pas vivre sans être à ses yeux l'épouse d'un seul homme.

... et chrétiens   On trouverait, en cherchant un peu, davantage d'exemples chez les nôtres, et d'autant plus supérieurs aux précédents qu'il est plus noble de vivre dans la chasteté que de mourir pour elle. Il est plus facile de rendre l'âme parce qu'on a perdu un bien, que de conserver, pendant sa vie, ce à cause de quoi on préfère mourir.

4. Ainsi donc, combien d'hommes et combien de femmes, dans les ordres ecclésiastiques, se réclament de la continence, qui ont préféré épouser Dieu, qui ont rétabli la dignité de leur chair, et qui dès maintenant se sont consacrés comme enfants de l'autre siècle, tuant en eux la convoitise de la passion et tout ce qui n'a pas pu être admis dans le paradis ! D'où la nécessité de se convaincre d'avance que ceux qui voudront être reçus dans le paradis doivent enfin renoncer à ce dont est préservé le paradis.

COMMENTAIRE

CHAPITRE I

Tertullien s'adresse à un « frère » resté veuf et qui déjà pense à mettre un terme à sa solitude en se remariant. Il y est poussé par les besoins de la chair qui, appelée à comparaître symboliquement devant le juge (qui n'est autre que la conscience même du frère) s'oppose à ce qu'exige la foi. La foi, donc, a besoin d'un *aduocatus* qui la défende devant les juges. Toute cette mise en scène confirme l'interprétation que donne J.-C. Fredouille de cet opuscule qui, comme on l'a vu, a souligné en particulier la place faite à l'*altercatio*. Naturellement, on ne saurait préciser qui est ce frère, mais on peut se demander si nous nous trouvons en présence d'une fiction rhétorico-littéraire, très répandue dans le monde antique (comme a tendance à le penser W.P. Le Saint, *o.c.*, p. 134) ou bien si Tertullien se trouvait devant un cas réel (comme ne l'exclut pas J.-C. Fredouille, *o.c.*, p. 109, n. 156).

Avec le § 1 se termine l'introduction proprement dite tandis que, avec le § 2, commence le discours de l'*aduocatus*, c'est-à-dire de Tertullien lui-même. Il est nécessaire de faire la volonté de Dieu, mais non pas ce que Dieu se contente de permettre, si nous voulons notre sanctification. Le mot qui se présente ici (*sanctitas*) est fondamental pour l'éthique chrétienne en général (« soyez saint parce que moi, je suis saint ». Cf. *Lev.* 11, 44 s. ; 19, 2 ; 20, 7 : c'est la qualité que reçoit le chrétien avec le baptême

comme l'explique J.-C. Fredouille dans *Val. SC* 281,
p. 211) et ce terme prend une acception toute particulière,
et précisément celle d'*abstinentia*, comme aussi ailleurs
chez notre auteur (voir aussi ce que nous observons un
peu plus loin). Sur ce concept, C. Tibiletti a insisté spécia-
lement : « Verginità e matrimonio in antichi scrittori cristiani », *Annali della Facoltà di Lettere di Macerata* 2,
1969, p. 9-217, p. 76 ; et en outre W.P. Le Saint, *o.c.*,
p. 133, n. 2 ; C. Rambaux (plus ample et mieux informé)
Tertullien face aux morales, p. 213-214. Déjà cette attitude nous fait comprendre à quel point l'opinion que
Tertullien a du mariage est peu favorable (surtout dans les
œuvres de la période montaniste) : cf. *Mon.* 3, 10 ; *Virg.*
17, 1 (*quae in nuptias incidistis*). A propos de la valeur
que Tertullien donnait à la continence, allant jusqu'à s'opposer carrément à l'Ancien Testament, cf. également C.
Rambaux, *o.c.*, p. 235-238.

La sainteté ou continence comprend, selon Tertullien,
trois degrés : le premier consiste dans la virginité depuis
la naissance ; le second dans la virginité depuis la seconde
naissance, c'est-à-dire depuis le baptême (soit en décidant,
par un commun accord entre époux, un état d'abstinence,
soit en restant dans l'état de célibat) ; le troisième consiste dans la virginité à laquelle on s'engage, après le
baptême, à la suite d'une situation de veuvage. Cette division tripartite de la virginité ne se trouve pas ailleurs chez
Tertullien. Elle contraste avec la division qui était la plus
commune dans l'Église antique : (continence conjugale,
continence du veuvage, continence de la virginité), qui
apparaît par exemple chez Ambroise, *De uiduis* 4,
23 *PL* 16, 254 D et déjà chez Tertullien lui-même (*Res.* 8,
4 : « uirginitas quoque et uiduitas et modesta in occulto
matrimonii dissimulatio et una notitia eius de bonis carnis
deo adulantur »). Cependant Tertullien a eu un disciple
pour cette division particulière de la continence : il s'agit
de saint Jérôme, qui est, au plan de la mentalité, l'écrivain

latin le plus proche du Carthaginois, cf. *Epist.* 49, 20 :
« prima est uirginitas a natiuitate, secunda uirginitas a
secunda natiuitate », comme l'a remarqué Cl. Micaelli,
« L'influsso di Tertulliano su Girolamo : le opere sul
matrimonio e le seconde nozze », *Augustinianum* 19, 3,
1979 ; p. 415-429, p. 428. A noter que la supériorité de
la veuve sur la vierge, en tant que la première a déjà fait
l'expérience des attraits de la chair, était une conviction
attestée chez le même Tertullien (*Vx.* I, 8, 2-3 ; *Virg.* 10,
3-4) ; cf. Clem., *Strom.* III, 16, 101, 5 ; VII, 12, 76, 3 ;
Méthode, *Sympos.* 300-301 ; Jérôme, *Epist.* 123, 10.

Quant aux éléments de rhétorique qui émergent de la
structure de ce premier chapitre, outre celui de l'*altercatio*, qui a été souligné plus haut, on peut voir comment
Tertullien présente tout de suite la *propositio*, c'est-à-dire
l'énoncé de la nécessité de notre sanctification, et donc la
division de l'argument (la division tripartite dont nous
nous sommes occupés jusqu'à maintenant).

1, 1. non dubito... te... cogitare. On notera l'usage de *non
dubito* + prop. inf. qui est considéré comme post-classique ;
cf. M. Leumann, J.-B. Hofmann, A. Szantyr, *Lateinische
Grammatik*, Zweiter Band, *Syntax und Stilistik*, München
1972, p. 357 ; en ce qui concerne Tertullien, cf. H. Hoppe,
Syntax und Stil des Tertullians, Leipzig 1903, p. 50-51. —
frater. C'est l'usage chrétien typique de « frère », communément répandu pour désigner le compagnon de foi (cf. Ch.
Mohrmann, *Études sur le latin des chrétiens*, t. II, Rome
1961, p. 23 et p. 335-336 ; pour plus de détails, H. Pétré,
*Caritas. Étude sur le vocabulaire latin de la charité chré-
tienne*, Louvain 1948, p. 118-124). Ailleurs, Tertullien lui-
même (*Apol.* 39, 8) écrit : *fratrum appellatione censemur.* —
in pace praemissam. Cette leçon du *Corpus Cluniacense* est
préférable à celle de l'*Agobardinus* (*in pacem remissam*), et
c'est elle qu'on retient désormais (une première allusion dans

Waszink, *Comm. An.*, p. 531 ; puis C. Tibiletti, « Il senso escatologico di pax e refrigerium e un passo di Tertulliano (*De exh. cast.* I, 1) », *Maia* X, 1958, p. 209-219 ; V. Saxer, *Morts, Martyrs, Reliques en Afrique chrétienne aux premiers siècles*, Paris 1980, p. 63). Tibiletti observe en effet que *praemitti* avec le sens de « mourir » se trouve aussi dans *Vx.* I, 4, 3 ; 5, 1 ; *Mon.* 10, 3 et on peut déjà le lire dans Sénèque (*Epist.* 63, 16 ; 99, 6-7 ; 93, 12 ; *Polyb.* 9, 9 ; *Marc.* 19, 1). Donc, dans notre passage, *pax* ne signifie pas « la paix entre Dieu et les hommes », « la paix après la mort » pour laquelle Tertullien emploie normalement le terme de *refrigerium* (cf. S.W.J. Teeuwen, *Sprachlicher Bedeutungswandel bei Tertullian*, Paderborn 1926, p. 52-53), mais plutôt « la paix dans la mort », c'est-à-dire « la mort chrétienne ». Et P. Petitmengin observe encore que, dans une inscription de Regiae en Algérie (494 après J.C.), on lit : « qui nos praecessit in pace dominica » (cf. *DACL* V, 1968, *s.u. pax*). – **de exitu** : nous adoptons l'interprétation indiquée par Le Saint dans son commentaire (mais qu'il n'a pas retenue dans sa traduction), et pour laquelle C. Moreschini avoue sa préférence. [J.-C. F.] – **de exitu singularitatis**. « About the loneliness of the life you lead » (Le Saint), comprenant *exitus = sors*. Le Saint n'exclut cependant pas la traduction « you are thinking about putting an end to your loneliness by remarriage », c'est-à-dire avec le sens de *exitus = finis* ou *exitium*. D'ailleurs, le sens de *finis* est en lui-même lié à celui de *exitus* ou *exitium*. En ce qui concerne la signification de *exitus = exitium*, on peut lire H. Hoppe, *Beiträge zur Sprache und Kritik Tertullians*, Lund 1932, p. 73, qui cite quelques exemples (*Scorp.* 7, 2 ; *Iei.* 10, 6 ; *Res.* 20, 8 ; *An.* 51, 4 ; *Marc.* III, 18, 1) ; pour la signification de *exitus = sors* on peut citer (cf. Cl. Claesson, *Index Tertullianeus*, Paris 1974-1975) *An.* 25, 3 : « et quanto ruboratior exitus a feminis reuinci quam probari » ! Sont donc possibles les deux interprétations proposées par Le Saint, même si nous préférons la seconde (« fin de ta condition de solitude ») parce que plus proche de l'objectif pour lequel Tertullien a écrit cette œuvre. — **singularitatis**. Semble être un néologisme de Tertullien (on le trouve encore dans *Val.* 37, 2 où il correspond à μονάς de la théologie gnostique. Cf. Irén. *Adu. Haer.* I, 11, 3) ; il fut repris au IVᵉ et Vᵉ siècles, probablement sans référence à Tertullien, dans l'œuvre de Marius Victorinus (*Hymn.* 3, 224), Chalcidius (*Chap.* 39) et Martianus Capella (VII, 749-750 ; 752 etc), donc toujours dans des contextes philosophiques. *Singularitas* est un exemple clair de la prédilection de Tertullien pour les mots abstraits ; de même, l'expression précédente *compositio animi* : ce dernier syntagme correspond à *animum componere*, et est attesté seulement dans Sénèque, *Epist.* 115, 18. — **in huiusmodi.** Ellipse de *res* (ici *rebus*). Cf. aussi *Vx.* II, 3, 1 (*cum eiusmodi*) ; 7, 2 (*huiusmodi lucrifiunt*) ; *Orat.* 15, 1 ; Hoppe, *Syntax,* p. 106. — **specie.** Ce terme acquiert également chez Tertullien une acception typique (« question », « problème particulier ») : cf. aussi 4, 6 ; *Vx.* II, 1, 4 ; *Apol.* 1, 1 ; *Spect.* 3, 3 ; *Orat.* 1, 1 ; de nombreux autres exemples de ce sens sont rassemblés par J. Moingt, dans *Théologie Trinitaire de Tertullien*, IV, Paris 1969, p. 203-204. — **conscientiam**. C'est un terme qui acquiert toujours plus d'importance dans le christianisme pour lequel la *conscientia* est le fondement de l'action morale, comme l'observe justement M. Spanneut, *Tertullien et les premiers moralistes africains*, Gembloux-Paris 1969, p. 14 : « la conscience est... la personnalité même et Tertullien l'oppose à ce qui, en l'homme, est matériel ou éphémère ». Ainsi la prière et l'aumône assument pour le chrétien une valeur qui manquait totalement au culte religieux dans le paganisme : « ... offero opimam et maiorem hostiam, quam ipse (Deus) mandauit, orationem de carne pudica, de anima innocenti, de spiritu sancto profectam, non grana turis unius assis, Arabicae arboris lacrimas, nec duas meri guttas, nec sanguinem reprobi bouis mori optantis et post omnia inquinamenta etiam *conscientiam spurcam* (*Apol.* 30, 5-6) ; quot uultis... ex ipsis etiam uobis iustissimis et seuerissimis in nos praesidibus, *apud conscientias pulsem...* ? » (*Apol.* 9, 6). Pourquoi, dans ce passage, *eamdem conscientiam* ? A quoi se réfère *eamdem* ? Comme l'explique Waszink dans sa recension de la traduction de W.P. Le Saint (*VChr.* 6, 1952, p. 189), *eamdem* se réfère à *cogitatum* qui le précède, ou à toute la phrase initiale (où il est dit que le « frère » pense à se remarier).

1, 3. sanctificatio. Terme d'usage surtout chrétien, se présentant comme un des néologismes chrétiens abstraits en -*tio* (cf. Mohrmann, *o.c.*, I, p. 34). Dans ce contexte (et ailleurs encore chez Tertullien) *sanctificatio* et *sanctitas* ont une acception spécifique, équivalant à *continentia*. Cf. en particulier *Marc.* I, 29, 1-2 : « quid dicam autem de disciplinae uanitate, qua sanctificat substantiam sanctam ? ... Sine dubio ex damnatione coniugii institutio ista constabit. Videamus an iusta, non quasi destructuri felicitatem sanctitatis, ut aliqui Nicolaitae, adsertores libidinis atque luxuriae, sed qui sanctitatem sine nuptiarum damnatione nouerimus et sectemur et praeferamus, non ut malo bonum, sed ut bono melius... » Que la *sanctitas* (ou *continentia*) soit *instrumentum aeternitatis*, cela est dit aussi dans *Vx.* I, 7, 1. Cf. encore *ibidem* I, 8, 2-3. — **imaginem... similitudinem.** Comme l'observe Le Saint, Tertullien reprend l'expression biblique bien connue κατ'εἰκόνα / καθ' ὁμοίωσιν (*Gen.* 1,26), distinguant une réduplication normale, utilisée dans la Bible dans un dessein d'emphase, pour suggérer une ressemblance de caractère naturel, avec *imago*, et une ressemblance due à la grâce, avec *similitudo*. Cette interprétation semble venir d'Irén, cf. *Adu. Haer.* V, 6, 1, *SC* 153, p. 76 : « cum autem spiritus hic commixtus animae unitur plasmati, propter effusionem Spiritus spiritalis et perfectus homo factus est : et hic est qui secundum imaginem et similitudinem factus est Dei. Si autem defuerit animae Spiritus, animalis est uere, qui est talis, et carnalis derelictus imperfectus erit, imaginem quidem habens in plasmate, similitudinem uero non assumens per Spiritum ». La *similitudo* qui est liée à l'idée de *sanctitas* (comme dans *Mon.* 3, 7-8) est solidaire de l'exercice du libre arbitre dans *Marc.* II, 4 s. (et du reste le problème du libre arbitre est abordé également dans cet opuscule un peu plus loin). – **uirginitas** au sens, dans ce passage, de *castitas, continentia* [J.-C. F.]

1, 4. lauacro. C'est un terme d'origine vulgaire, influencé par λουτρόν, par lequel Tertullien veut rendre βάπτισμα. Mais la première traduction, *baptisma* ou *baptismus* justement, s'est maintenue au détriment de la seconde malgré les tentatives de Tertullien pour introduire *lauacrum* (cf. Teeuwen, *o.c.*, p. 47) ; Mohrmann, *o.c.,* I, p. 24 et 90. Déjà pour saint Paul et pour Jean, le baptême de l'homme qui est conduit à la vraie vie, était la seconde et seule véritable naissance. (Cf. *Rom.* 6, 3-11 et *Jn* 3, 4). Le concept de « nouvelle naissance » pour celui qui se convertit au christianisme est assez fréquent chez Tertullien (cf. *Marc.* I, 28, 2 : *regeneratio* ; *noua natiuitas* dans *Carn.* 17, 3 ; *Bapt.* 1, 3 ; 20, 5 ; *secunda natiuitas* dans *An.* 41, 4) comme on peut le voir d'après les rapides allusions de R.F. Refoulé (cf. Tertullien, *Traité du baptême, SC* 35, p. 16-17). Cette conception était déjà largement répandue dans la littérature apologétique grecque du IIe siècle, dont Tertullien avait une parfaite connaissance. A. Benoît observe (*Le baptême chrétien au second siècle*, Paris 1953, p. 163-164) que le concept de baptême comme 'nouvelle naissance' (ἀναγέννησις) se trouve dans Justin, *I Apol.* 61 et 66 et *Dial.* 138 : l'apologète le relie au concept de « rémission des péchés » comme déjà l'avait fait Ps.-Barnabé (6, 11) qui avait suivi en ceci la doctrine de saint Paul sur le baptême comme renaissance de l'homme dans le Christ ; mais la conception de l'ἀναγέννησις) de Justin ne ferait que reprendre, sans plus, celle de *Jn* 3, 4-5 : « En vérité, en vérité, je te le dis, à moins de naître d'en haut, nul ne peut voir le Royaume de Dieu ». Selon A. Benoît, le concept a déjà perdu chez Justin toute originalité et il est devenu un lieu commun dans la théologie baptismale de l'époque. Chez Irénée également, où l'on trouve assez souvent la doctrine de la régénération (cf. *Adu. Haer.* III, 17, 1, *SC* 211, p. 328 ; V, 15, 3 *SC* 153, p. 208 ; *Demonstr.* 3 et 7, *SC* 62, p. 32 et 41), la conception joannique de la 'nouvelle naissance' est présente. Celle-ci s'insère harmonieusement dans la doctrine de l'ἀνακεφαλαίωσις opérée par le Christ (cf. *Adu. Haer.* V, 1, 3 *SC* 153, p. 26) (A. Benoît, *o.c.*, p. 197-201). Cependant, chez Tertullien, c'est devenu presque un cliché de relier ce concept à la pratique baptismale. – **purificat.** Kroymann (suivant en cela une conjecture de Rhenanus) proposait *purificato*, peut-être parce qu'il était heurté par l'image de la *uirginitas* qui *purificat*. Mais des personnifications de ce type ne sont pas rares chez Tertullien : cf. *Pat.* 12, 7 : « illum quoque prodigum filium patientia patris et recipit et uestit et pascit... », *Vx.* I, 4, 8 : « nihil uiduitati apud Deum subsignatae necessarium est quam perseuerare ». Quant à la pratique de la continence conjugale, cf. *Vx.* I, 6, 2 : « quot item qui consensu pari inter se matrimonii debitum tollunt, uoluntarii spadones pro cupiditate regni caelestis ? » – **ex compacto.** Syntagme non attesté ailleurs, sans doute analogique de *ex arbitrio*. – **in uiduitate :** sur le sens que nous donnons ici à *uiduitas*, cf. notre commentaire à *Pat.*, 12, 5 (*SC* 310, p. 226). [J.-C. F.] – **monogamia.** De même que *monogamus* (absent toutefois de *Cast.*), *monogamia* est un hellénisme utilisé, semble-t-il, seulement à partir de Tertullien. Quelques attestations chez Jérôme (*Epist.* 49, 8 ; 123, 2 ; *Iouin.* I, 15), probablement dépendantes de l'usage du Carthaginois. – **exinde.** Avec une signification temporelle, cet adverbe se rencontre d'abord chez Varron (*Rer. rust.*, I, 28, 2), dans la latinité post-class. (cf. Aulu-Gelle, *Noct. Att.*, VI, 1, 4 ; Apul., *Métam.*, VII, 2) et chez Tertullien en particulier (cf. E. Löfstedt, *Krit. Bemerkungen zu Tertullians Apol.*, Lund 1918, p. 94-95). — **renuntiatur**. Le syntagme *renuntiare alicui rei* au sens de « renoncer à quelque chose » est rare à l'époque classique, mais devient plus fréquent à partir de Sénèque. Pour l'idée, cf. *Virg.*, 10, 3-4 : « non enim et continentia uirginitati antistat siue uiduorum siue qui ex consensu contumeliam communem iam recusauerunt ? Nam uirginitas gratia constat, continentia uero uirtute. Non concupiscendi cui concupiscendo inoleueris, grande certamen est. Cuius autem concupiscendi ignoraueris fructum, facile non concupisces, aduersarium non habens, concupiscentiam fructus ».

1, 5. in totum. Expression familière (cf. ital. « in tutto »), que l'on rencontre à partir de Columelle (I, 7, 2 ; II, 1, 2) et Sénèque (*De ira*, I, 17, 7) ; fréquente chez Pline l'Ancien et Tertullien (*Bapt.*, 2, 1 ; *Carn.*, 9, 1 ; etc). Cf. Hoppe, *Syntax*, p. 100-101. — **hactenus**. Terme caractéristique du style de Tertullien. Cf. Hoppe, *Syntax*, p. 111. — **sine cuius... etc** : la même utilisation de *Matth.* 10, 29, pour démontrer la toute puissance de Dieu, se retrouve dans *Vx.* I, 7, 1 ; *Mon.* 9, 1 s. ; *Fug.* 3, 2.

CHAPITRE II

Examen de la *modestia*, qui voit culminer notre sanctification, en référence au problème qui nous intéresse ici :
on ne doit pas renouer des noces qui ont été interrompues
par Dieu [cf. *Vx.* I, 7, 2. Sur le rapport entre la *quaestio
infinita* et la *quaestio finita*, cf. J.-C. Fredouille, *o.c.*,
p. 113-114] (§ 1). Si nous objectons que les secondes
noces découlent de la volonté de Dieu, qui autrement les
auraient empêchées, c'est là une attitude non conforme à
la foi, car, en appliquant ce principe entièrement, plus rien
ne relèverait de notre libre arbitre (§ 2-3). Cette objection
des adversaires de Tertullien ressemble à celle de ceux qui
prenaient la défense des spectacles, et à laquelle notre
auteur fait allusion dans *Spect.* 2, 1 : « omnia a Deo insti-
tuta et homini attributa... et utique bona omnia, ut boni
auctoris ; inter haec deputari uniuersa ista, ex quibus
spectacula instruuntur... ; igitur neque alienum uideri
posse neque inimicum Deo quod de conditione constet
ipsius neque cultoribus dei deputandum... » Exécuter la
volonté de Dieu dépend en fait de nous seuls, tout comme
refuser de l'exécuter (§ 3-4). Les tentations du diable ne
peuvent faire que tu veuilles [*ut et uelis*] (§ 6), et le diable
peut réaliser son plan de perdition non pas en suscitant de
ta part une volonté perverse, mais seulement en en profi-
tant.

Nous nous trouvons ici devant un procédé typiquement
rhétorique de l'argumentation de Tertullien, celui de la
« définition », qui selon les théoriciens (cf. Cic., *Top.* 18,
71 ; Quint., *Instit. Orat.* V, 10, 94) faisait partie des nom-

breuses formes possibles d'argumentation. Quelques exemples de définitions introduites dans une perspective d'argumentation se trouvent dans R.D. Sider, *Ancient Rhetoric and the Art of Tertullian*, Oxford 1971, p. 103-105 : celui-ci cite justement ce passage de *Cast.* avec *Marc.* I, 24, 5 (« quid est autem homo aliud quam caro... ? »), et *Mon.* 10, 7 (« hoc erit adulterium, unius feminae in duos uiros conscientia ») ; 15, 1 (« quid est enim adulterium quam matrimonium illicitum ? »). R.D. Sider (p. 105) observe encore que Cicéron, comme Quintilien, indique trois modes de définition : le premier par voie de description, le second par voie d'analyse, le troisième par voie d'étymologie, tous trois présents chez Tertullien. La présente définition « modestia est enim ablatum non desiderare » devrait donc appartenir au premier type ; plus loin (9, 4), on trouve encore la définition par voie d'étymologie : « modestia a modo intellegitur ».

2, 1. nuptias sublatas (ou *ablatas* ?). C'est un des cas fréquents où deux branches de la tradition manuscrite divergent en offrant l'une et l'autre une bonne leçon. Cependant, comme l'expression *nuptias auferre* semble être employée par notre auteur (*Mon.* 1, 1 ; 15, 1) pour indiquer la condamnation des noces de la part de certains hérétiques, il est sans doute plus opportun (bien que ce ne soit pas sûr) de préférer ici la leçon *nuptias sublatas* de l'*Agobardinus*, avec Rigault et Oehler. Le même point de vue et le même exemple de *Job* 1, 21 seront repris par Jérôme, *Epist.* 123, 10. — **nisi si.** Comme l'a observé Hoppe (*Beiträge, o.c.*, p. 129-130) *nisi si*, qui fréquemment chez les auteurs chrétiens équivaut au simple *nisi* (voir Leumann, Hofmann, Szantyr, *Syntax*, p. 668), est employé chez Tertullien avec le sens ironique de *nisi forte*.

2, 2. solidae fidei. La foi chrétienne ne peut admettre que tout soit décidé par la volonté de Dieu, sans que soit exigé le concours de la volonté humaine : « esse aliquid et in nobis ipsis ». Tertullien reprend ici, de manière plus succinte, l'ample développement qu'il avait déjà exposé dans une œuvre contemporaine du *De exhortatione*, c'est-à-dire dans *Marc.* (II, 5 s.). C'est une des premières attestations chrétiennes du grand débat sur le libre arbitre. Cf. encore *Vx.* I, 7, 2 ; *Fug.* 1, 2 et nos observations dans « Temi e motivi della polemica antimarcionita di Tertulliano », *SCO* 17, 1968, p. 149-186, p. 180-183, ainsi que *Cor.* 11, 7 (« nam et uoluntas poterit necessitas contendi, habens scilicet unde cogatur uel ipsam ») et la note de J. Fontaine *ad loc.* — **adulari < sibi >.** Cette addition d'Ursinus semble exigée par le sens (Kroymann pour sa part propose *adulari ei*) : cette conjecture est étayée par des expressions analogues dans *Vx.* I, 4, 1 ; *Paen.* 6, 14. Nous nous flattons nous-même en voulant croire que rien n'arrive sans l'assentiment de Dieu. Observations sur le verbe *adulari* dans Hoppe, *Beiträge*, p. 89. — **dicendo.** L'usage de l'ablatif du gérondif au lieu du participe attesté déjà dans Liv. XXIV, 4, 9, se fait ensuite toujours plus fréquent dans le latin tardif. Cf. Leumann, Hofmann, Szantyr, *Syntax*, p. 380 ; E. Löfstedt, *Philologischer Kommentar zur Peregrinatio Aetheriae*, Uppsala 1911, p. 159 s. — **esse aliquid in nobis ipsis.** Expression technique de la langue philosophique latine pour désigner le libre arbitre, correspondant au grec τὰ ἐφ'ἡμῖν. Cf. Cic., *De fato* 5, 9 ; 17, 40 ; Apul., *Plat.* I, 12, 206 ; Tert., *An.* 21, 6. — **definitio.** Autre terme philosophico-grammatical (cf. Cic., *Top.* 5, 26 : « definitio est oratio, quae id, quod definitur, explicat quid sit »). — **disciplinae.** Ce terme a pris dans le latin chrétien la connotation de « doctrine chrétienne », surtout chez Tertullien : cf. *Bapt.* 15, 2 (« ...haeretici autem nullum consortium habent nostrae disciplinae ») ; *Idol.* 13, 1 (« ...aduersus fidem disciplinamque communicantes nationibus in idolicis rebus... »). Sur les diverses significations que prend le mot chez Tertullien, cf. V. Morel, « Disciplina : le mot et l'idée représentée par lui dans les œuvres de Tertullien », *RHE* 40, 1944-45, p. 5-46 ; K. Adam, *Der Kirchenbegriff Tertullians*, Paderborn 1907, p. 48 s. — **producat**. Sens secondaire de ce verbe déjà attesté chez Lucr., IV, 1223 ; Virg., *Aen.* XII, 900 ; Hor., *Ep.* II, 2, 119 ; Juv., 15, 32 (cf. *Oxford Latin Dictionary, s.u.*).

2, 3. accepto facit. Autre expression de la langue juridique ? Cf. *Dig.* 39, 5, 2, 4. On rencontre plus fréquemment, semble-t-il, *acceptum facere* (cf. *TLL*, I, 321, 72 s.). — **dispungit**. Comme l'observe Hoppe (*Syntax*, p. 130), ce terme typique de la langue de Tertullien signifie, comme chez les juristes, « vérifier » (cf. *Apol.* 45, 7 ; *Marc.* IV, 17, 10) ou, de manière plus fréquente, « terminer » (cf. *Pat.* 8, 7, etc.). Dans notre contexte, le sens est « récompenser », comme dans *Apol.* 37, 3 : « si malum malo dispungi penes nos liceret » ; *Pud.* 2, 13 : « omne delictum aut uenia dispungit aut poena ». — **ecce posui ante te**, etc. La citation scripturaire, dans sa première moitié, se retrouve encore dans *Mon.* 14, 7 et correspond à *Deut.* 30, 15 et 30, 19 ; elle dériverait peut-être, pense Micaelli (*Retorica, filosofia*, p. 79), d'un recueil de *Testimonia*, parce qu'on la trouve aussi dans Cypr., *Testim.* 3, 52. La seconde partie de la citation ne se trouve pas, en revanche, dans le *Deutéronome*, mais semble dériver de *Gen.* 2, 9 et 3, 17 où il est fait effectivement allusion à l'arbre de la connaissance. Selon Le Saint, Tertullien aurait ajouté ces mots en guise de note explicative à la citation du *Deutéronome*. Mais, en réalité, il existait déjà chez Justin (*Apol.* I, 44) une exégèse de ce type qui par la suite fut probablement reprise par Tertullien : « ... le Saint-Esprit prophétique dit par la bouche de Moïse que Dieu adressa au premier homme ces paroles : « Voici devant toi le bien et le mal, choisis le bien... ». Les paroles du *Deutéronome*, selon cette exégèse, étaient donc attribuées à Dieu, au moment où il parlait à Adam (cf. Micaelli, *Retorica, filosofia,* p. 80).

2, 4. quod non ipse uult. Le texte de *A,* conservé par Oehler, est apparemment dépourvu de sens : « quod non ipse uult aut non uult quod bonum est, qui malum non uult » ; le texte du *Corpus Cluniacense* est encore moins compréhensible. La correction de Kroymann semblerait donc plausible : « quod non ipse uult < quod malum est, qui bonum uult >, aut non uult quod bonum est qui malum non uult », car elle conserve l'alternative du choix, qui est mis devant nous (et non devant Dieu) et le parallélisme. C'est sur la base du texte de Kroymann qu'est établie la traduction de Le Saint. Mais, en réalité, observe Micaelli (*Retorica, filosofia,* p. 100) le texte de *A* se comprend dans le sens que seul l'homme peut choisir le mal ou le bien, car Dieu ne peut vouloir que le bien. Il ne s'agit donc pas de réaffirmer que Dieu veut le bien, mais de prouver que Dieu, à la différence des créatures, n'est pas soumis aux fluctuations d'une volonté changeante : « nam bonus natura Deus solus », lit-on dans *Marc.* II, 6, 4.

2, 5. unde uenit (*A*) ou *unde ueniat* (*Corpus Clun.*) : l'un et l'autre sont possibles. Sur l'usage de l'indicatif dans les interrogations indirectes chez Tertullien, cf. Hoppe, *Syntax,* p. 72 ; *Beiträge,* p. 34 s. ; J.-C. Fredouille, *SC* 281, p. 215 et 304. — **semini... respondeas.** L'homme de notre temps « correspond » à celui qui a été sa semence, Adam, et donc se pose à nous le même choix entre le bien et le mal, qui doit être fait sur la base de notre libre arbitre. De même que les événements des *primordia* (cf. chap. 5) sont exemplaires pour le comportement du chrétien (et donc pour le refus des secondes noces, car celles-ci sont inconnues d'Adam), de même le libre arbitre est pour nous, en tout et pour tout, analogue à celui que possédait Adam. — **diabolus.** Ce grécisme s'est maintenu constamment dans le latin chrétien. Tertullien, à l'occasion, interprète le terme grec διάβολος = *deleator*, cf. *An.* 35, 3 ; *Marc.* II, 10, 1 ; V, 18, 13. Et aussi Ch. Munier, *o.c.*, p. 170. — **materiam uoluntatis** (*Corpus Clun.*) ou *uoluntati* (*Agobardinus*) ? Dans ce cas, il me semble que le *Corpus Cluniacense* a conservé la leçon authentique : c'est une *lectio difficilior* qui présente le syntagme *genetiuus pro datiuo*, typique de Tertullien comme l'ont montré G. Thörnell, *Studia Tertullianea*, Uppsala I, 1918, p. 31-32 ; ou E. Löfstedt, *Zur Sprache tertullians*, Lund 1920, p. 7-11 ; V. Bulhart, *CSEL* 76, p. xiv) : ces auteurs rassemblent de nombreux exemples de cette tournure propre à Tertullien. On trouve encore la même tournure un peu plus loin, chap. 5, 1. — **uoluntas ei de inobaudientia uenerat.** Le texte qui nous est parvenu dans une tradition concordante est : « uoluntas dei in obaudientiam uenerat ». Kroymann attribue au *Corpus Cluniacense* la leçon *ob inaudientiam* qui (si l'on s'en tient à l'apparat critique d'Oehler) est celle du *Vindobonensis* et du *Leidensis*, deux apographes de *F*, comme il nous semble l'avoir démontré (cf. « Prolegomeni a una futura edizione dell'Aduersus Marcionem di Tertulliano », *ASNP* série II, 35, 1966, p. 293-308, p. 297 s.). Par conséquent Kroymann a corrigé le texte ainsi : « ceterum uoluntas<ei de>dei inobaudientia uenerat ». Le Saint observe que le sens des paroles de Tertullien est que Dieu voulait l'obéissance d'Adam ; et pour cette raison, il défend la leçon des manuscrits *in obaudientiam*. Mais Micaelli, *Retorica, filosofia*, p. 101, n'est à juste titre pas convaincu par les observations de Le Saint et il souligne le fait que peu après on lit : « proinde et tu, si non oboedieris deo, qui te proposito praecepto liberae potestatis instituit, per voluntatis libertatem uolens deuerges in id quod deus non uult ». Tertullien veut dire que la raison pour laquelle l'homme veut mal faire dépend de sa propre volonté en tant que cette volonté est libre. Micaelli cependant, en retenant substantiellement comme juste la correction de

Kroymann, propose de la modifier légèrement et de lire :
« uoluntas ei de inobaudientia uenerat ». *Inobaudientia* se
retrouve aussi dans *Marc.* IV, 17, 13.

2, 6. te... liberae potestatis instituit. Cf. *Marc.* II, 5, 5 (*libe-
rum... institutum*). Un raisonnement analogue se trouve dans
Cor. 11, 7 en ce qui concerne le caractère volontaire du péché
humain (cf. la note de J. Fontaine, *ad loc.*). Pour l'usage du
verbe *instituere* avec la signification de 'créer (l'homme)', cf.
Marc. II, 5, 5 ; 6, 1 etc. ; *institutio* et *institutor* : II, 6, 4 (cf. R.
Braun, *Deus Christianorum. Recherches sur le vocabulaire
doctrinal de Tertullien*, Paris 1977², p. 390 s. ; p. 711). — **protoplastos.** Autre grécisme que l'on trouve aussi dans *Iud.* 13,
11 (dans une partie de l'œuvre qui, peut-être, ne remonte pas à
Tertullien). Il peut venir de Tatien, *Orat.* 20 ; cf. Braun, *o.c.*,
p. 397-398.

2, 7. cui admisso (*Corpus Clun.*) ou *cum admisso*
(*Agob.*) ? Autre cas où le choix entre les leçons des deux
branches de la tradition est indifférent. *Mortem destinabat* :
cf. *Marc.* II, 4, 6. — **nactus occasionem uoluntatis** : comme
me le fait observer mon collègue P. Petitmengin, l'expression
a ici une coloration probablement négative (le diable qui épie
l'occasion pour nous écraser), analogue à celle de *Val.* 29, 1,
qui peut donc apporter une confirmation opportune : « tri-
formem naturam primordio professi et tamen inunitam in
Adam, inde iam diuidunt per singulares generum proprie-
tates, nacti occasionem distinctionis huiusmodi ex posteritate
ipsius Adae... » (*SC* 280, p. 138).

2, 8. in hoc : annonce l'interrogative *an ea uelimus...* [J.-C.
F.]

CHAPITRE III

Après la prémisse, contenue dans le chapitre précédent,
sur la réalité de notre libre arbitre, on revient à l'argument
auquel il a été seulement fait allusion au chap. 1 : la
uoluntas Dei. Tout ce que Dieu permet ne correspond pas
à sa vraie volonté. Il y a l'*indulgentia,* dont relève ce qui
est permis, et qui peut être définie, pour ainsi dire, comme
une *inuita uoluntas* (§ 2), et il y a, d'autre part, la *pura
uoluntas.* Il est donc évident que la *pura uoluntas* doit
être préférée, et respectée dans la *disciplina.* Or, auquel
des deux aspects de la volonté de Dieu ressortit le second
mariage ? Sans aucun doute à l'*indulgentia,* comme le
démontrent encore les paroles de saint Paul (*I Cor.* 7,
10) : celui-ci, en effet, quand il permet les secondes noces,
exprime ses opinions personnelles et ne se présente pas
alors comme explicitement inspiré par Dieu (§ 6). Même
la fameuse affirmation de *I Cor.* 7, 9 (« melius est nubere
quam uri ») présente les secondes noces comme un bien
relatif, qui est valable exclusivement à l'intérieur d'une
comparaison (*melius... quam*), et non pas en soi et par soi,
de manière absolue (§ 8-9). Le même raisonnement se lit
encore dans *Mon.* (3, 3-6). Selon Micaelli (*Retorica, filosofia,* p. 70) Tertullien reprend ici un concept du
stoïcisme qui pouvait être largement répandu dans la
culture de l'ère impériale, et qui se trouve formulé ainsi
par Cicéron (*Fin.* III, 10, 34) : « Hoc autem ipsum bonum
non accessione neque crescendo aut cum ceteris compa-
rando, sed propria ui sua et sentimus et appellamus
bonum... sic bonum hoc, de quo agimus, est illud quidem

plurimi aestimandum, sed ea aestimatio genere ualet, non
magnitudine ». Plus précisément, Tertullien renouvelle
l'opposition entre *genus* et *magnitudo* en opposant *bonum*
à *melius*, le second de ces termes n'excluant pas nécessairement le premier (cf. *Cast.* 3, 9 : « aufer denique
condicionem comparationis ut non dicas 'melius est
nubere quam uri ', et quaero an dicere audeas 'melius est
nubere ', non adiciens quid sit id quo melius est »). Le
point faible de l'argumentation de Tertullien (« ergo, quod
non melius, utique nec bonum ») sera souligné par Augustin (cf. *De bono coniug.* 8, *PL* 40, 379 : « quod non sic
dicimus bonum [matrimonium], ut in fornicationis comparatione sit bonum ; alioquin duo mala erunt, quorum
alterum peius, aut bonum erit et fornicatio quia est peius
adulterium... omnia bona erunt in comparatione peiorum.
Hoc autem falsum esse quis dubitet ? Non ergo duo mala
sunt conubium et fornicatio, quorum alterum peius, sed
duo bona sunt conubium et continentia, quorum alterum
est melius ». Dans une étude récente (*Tertullien et le
Judaïsme*, Paris 1977, p. 212-213), Cl. Aziza a cru
pouvoir démontrer que le passage de la *minor uoluntas* à
la *maior uoluntas* (un passage analogue à celui du chapitre
10, 2 *a minore ad maius*) serait d'origine rabbinique. Mais
nous croyons qu'une recherche sur les processus d'argumentation de la rhétorique antique suggère avec plus de
vraisemblance que c'est dans ce cadre que doit être plutôt
analysée l'origine du raisonnement de Tertullien.

3, 1. uoluntatem dei sapere. Métaphore très concrète qui
plaît particulièrement à Tertullien (*sapio* + accusatif [cf.
Marc. V, 16, 3 : « eundem sapit dominum » ; *Marc.* IV, 7, 2 :
« sapit conspectum » ; *Marc.* II, 18, 1 : « licentiam sapit], ou +
préposition [*Iei.* 10, 8 : « sapere ad religionem christianam » ;
Praescr. 21, 5 : « quae sapiat contra ueritatem » ; *Bapt.* 12, 5 :
« cum aemulis sapuisse » ; *Virg.* 5, 2 : « nec hoc de futuro
sapit] »). — **non statim omne quod permittitur**, etc. Cette

expression reprend sous une forme plus atténuée, comme l'a observé C. Rambaux («La composition et l'exégèse», *REAug*. 22, 1976, p. 17-18), *Vx*. I, 3, 4 : « possum dicere : quod permittitur bonum non est... Quod permittitur suspectam habet permissionis suae causam. Quod autem melius est, nemo permisit, ut indubitatum et sua sinceritate manifestum » (*SC* 273 Ch. Munier). La même interprétation revient dans *Mon*. 3, 3, comme le remarque C. Rambaux.

3, 2. de inuita... uoluntate. Jeu de mots étymologique du type de ceux qu'affectionne Tertullien. Une énumération de telles figures de rhétorique se trouve dans H. Hoppe, *Syntax*, p. 168 s. — Notre traduction : « involontaire » (c'est-à-dire, naturellement, « forcée, contrainte ») tente de respecter ce jeu étymologique. [J.-C. F.]

3, 3. purae uoluntatis. Ursinus, Rigault et Kroymann proposent de lire : <*non*> *purae uoluntatis*. Au contraire, Oehler refuse une telle addition. Son refus s'explique par le fait que ce qui a déjà été dit auparavant est une *non pura uoluntas* (c'est-à-dire une *indulgentia*, une *permissio*). Cependant la *secunda species purae uoluntatis* semble présupposer une *prima species* de celle-ci, qui en réalité n'a jamais été indiquée. Mais sans doute Oehler a-t-il raison de maintenir le texte reçu, qui doit être simplement retouché en vue d'une plus grande clarté, comme le suggère Micaelli (*Retorica, filosofia*, p. 102-103) : « secunda item species consideranda est, purae uoluntatis ». Ce qui est soumis au domaine de la discipline, comment cela peut-il ne pas être une expression de la *pura uoluntas* de Dieu ? Tertullien distingue ensuite une *minor uoluntas*, mais il s'agit toujours de distinctions internes à la même *species* ; c'est-à-dire que nous avons un second type qui, en pratique, équivaut au premier : ainsi, il y a d'une part l'opposition *indulgentia/uoluntas*, et d'autre part, la *pura uoluntas*. La *pura uoluntas* elle-même comprend « ce que Dieu veut moins (*quae minus uult Deus*) » et « ce qu'il veut davantage (*quae magis uult*) ». Et ce qu'il veut moins (*quae minus uult*) ne diffère pas, pratiquement, de l'*indulgentia*. Cf. plus loin (§ 5) : « secundum igitur matrimonium, si ex illa dei uoluntate, quae indulgentia vocatur... ; si ex ea, cui potior alia praeponitur... ». — **patrocinatur... dominatur**. La rime est un des moyens techniques les plus fréquemment employés par l'asianisme. — **magis uult**. Pour obtenir un parallélisme avec *minus uult* qui suit, la forme *mauult* (qui apparaît d'ailleurs aussitôt après) a été écartée au profit de *magis uult*.

3, 4. contra uoluntatem... eius uoluntatem. On doit remarquer la construction en chiasme, alors que peu après (« quod uult quidem faciendo, sed quod mauult respuendo ») Tertullien procède par parallélisme. — **sapiendo contra** : autre exemple de l'emploi de *sapere*. De même, *Virg*. 1, 2 : « quodcumque aduersus ueritatem sapit » ; *Idol*. 1, 5 : « cum universa delicta aduersus Deum sapiant ». — **sapiendo** : cf. *supra* 2, 2 : *dicendo*.

3, 5. ex parte delinquis. C'est-à-dire, *quod mauult respuendo*. Tertullien tire une conclusion tout à fait injustifiée. — **non porro... delinquere est** ? Une *sententia* d'une indubitable efficacité rhétorique, mais également peu persuasive. Elle est imitée par Jérôme (*Epist*. 14, 7) : « perfectum autem esse nolle delinquere est ». On lit encore chez Tertullien, dans un cas analogue, où apparaît la même formule : « nolle autem confiteri negare est » (*Fug*. 5, 2). — **si ex illa dei uoluntate**. Ursinus, Rigault et Oehler suppléent *si < est > ex illa*, mais comme l'a déjà observé Kroymann, l'ellipse du verbe « être » est très fréquente chez Tertullien ; cf. un peu plus loin 7, 1 : *cautum in Leuitico* s. ent. *est* ; Hoppe, *Syntax,* p. 143-144 ;

Löfstedt, *Zur Sprache Tertullians,* Lund 1920, p. 57). — **non potiorem**. Forme brachylogique pour *eam quae non potior est.* Cf. Hoppe, *Syntax*, p. 142. Cf. une *sententia* analogue dans *Vx.* I, 3, 5 : « praelatio enim superiorum dissuasio est inferiorum ».

3, 6. praestruxerim (*Corpus. Clun.*) ou *praestrinxerim* (*Agobardinus*) ? La comparaison avec *Cor.* 11, 7 (dans un contexte semblable à celui-ci) et le fait que *praestruere* est un verbe typique de Tertullien nous poussent à choisir la première leçon. — **inreligiosus**. Le *Thesaurus Linguae Latinae* explique le terme comme synonyme d'*haereticus*. Le terme reflète probablement les accusations qui étaient adressées aux montanistes et à Tertullien en particulier à cause de leur rigorisme sur ce point. — **omnem... illum... induxisse**. Cf. *Mon.* 3, 6 : « ostendit illa quae supra dixerat non dominicae auctoritatis fuisse, sed humanae aestimationis » ; *Cor.* 4, 6 : « ... apostolus... solitus et ipse consilium subministrare, cum praeceptum domini non habebat, et quaedam edicere a semetipso, scilicet et ipse spiritum Dei habens, deductorem omnis ueritatis ». — **praescripto**. Le mot d'un usage avant tout juridique, s'adapte bien à la mentalité légaliste de Tertullien, qui voit parfois la religion à travers les critères du droit. Dans notre opuscule, de pareils termes concernent presque toujours l'attitude la plus rigoureuse de l'Apôtre. Cf. peu après *definio, et indico,* en *chap.* 4, 5. — **continere** : pour *se continere* semble d'un usage sporadique. Il commence vraiment avec Tertullien (cf. *Vx.* I, 6, 5 « ... continent etiam gehennae sacerdotes »), et ensuite on le trouve dans la traduction latine d'Irén. *Adu. Haer.* III, 8, 1, *SC* 211, p. 90 (« ... gulosum, id est qui non possit a gula continere ») ; Aug., *De ciuitate Dei* XV, 15 *titulus* ; *Contra Iul.* IV, 3, 18. Cf. Löfstedt, *Zur Sprache,* p. 20-21. — **ex translatione**. Autre mot abstrait, cf. *Marc.* IV, 22, 11 ; *An.* 32, 7-8. Il faut observer (cf. Micaelli, *Retorica, filosofia,* p. 96) que dans le texte paulinien, en réalité, l'oppo-

sition n'est pas entre le verset 10 (« iis autem qui matrimonio
iuncti sunt praecipio, non ego, sed Dominus, uxorem a uiro
non discedere ») et le verset 8 (« dico autem non nuptis et uiduis : bonum est illis si sic permaneant sicut et ego ») mais
entre le verset 10 et le verset 12 (« nam ceteris ego dico, non
Dominus... »).

3, 7. quae uox. Celle qui suggère de se marier plutôt que
de brûler. La correction suivante de Rigault : « qui<in>nupti
uel uidui a fide deprehenduntur », est justifiée par ce qui
précède : « cum de uiduis et innuptis definit ». — **qui innupti...
deprehenduntur.** Il n'y a aucune preuve, observe Le Saint,
permettant de croire que saint Paul avait dans l'esprit cette
restriction au moment où il prononçait ces paroles (une telle
restriction revient encore à la fin du raisonnement, § 10 : « ex
hoc capitulo... quod proprie ad innuptos et uiduos spectat,
quibus nulla adhuc coniunctio numeratur »). Il est évident
que Tertullien veut ôter à ceux qui sont déjà chrétiens (les
uidui in fide) la possibilité de se remarier. L'expression
nubendi licentia a une connotation négative qu'elle n'aurait
pas eue si on avait dit *nubendi permissio*. — **quod melius est
poena.** Comme on l'a observé plus haut, Tertullien propose
une interprétation de *I Cor.* 7, 9 qui est propre à sa période
montaniste : *uri* est une *poena* parce qu'il désigne les
flammes de l'enfer. Cf. *Pud.* 16, 16 : « apostoli autem magis
est   poenae ignibus prouidere. Quod si poena est quae
urit... ». — **retractare.** Comme l'ont déjà observé Hoppe,
Syntax, p. 138, et Kroymann, *ad* 9, 5, ce verbe n'a pas chez
Tertullien son acception classique, mais `signifie plutôt :
« méditer sur » ; cf. *Vx.* I, 8, 5 ; *Apol.* 21, 1 ; *Marc.* I, 21, 6.
On trouve le même raisonnement dans *Vx.* I, 3, 2-4 ; *Mon.* 3,
4 ; *Pud.* 1, 16. — **non potest uideri bonum.** Dans *Mon.* 3, 4
on lit : « non potest uideri melius nisi pessimo comparatum... » Selon Micaelli (*o.c.*, p. 71), la variante est due au fait

que Tertullien veut absolument refuser au mariage la qualification de *bonum*.

3, 8. si perseueret. Il est assez séduisant de corriger, comme le propose Micaelli (*o.c.*, p. 103-104), le texte de l'*Agobardinus* (« si perseueret nomen obtinens ») également adopté par Oehler, en « si per se uere nomen hoc obtinet », suggéré par la leçon du *Corpus Clun.* (« si per se nomen hoc obtinet ») et le passage parallèle de *Mon.* 3, 4 (« bonum illud est quod per se hoc nomen tenet »). En fait, Tertullien voudrait dire que le bien doit être τὸ δι'αὐτὸ ἀληθῶς ἀγαθόν, selon la formule bien connue des stoïciens, qui se retrouve aussi dans *Spect.* 20, 6 : « non potest aliud esse quod uere quidem est bonum seu malum... » — **per mali collationem.** L'*Agobardinus* a *conditionem* (conservé par Oehler), mais la leçon du *Corpus Clun.* est défendue par le passage parallèle de *Mon.* 3, 5.

3, 10. capitulo. Pour l'usage de ce terme, au sens de « passage », de « verset », cf. aussi *Mon.* 11, 10 ; *Marc.* I, 2, 1 ; *Carn.* 8, 1 et la note de J.-P. Mahé, *SC* 217, Paris 1975, p. 355.

CHAPITRE IV

Même les autres paroles de l'Apôtre relatives au second mariage (cf. *I Cor.* 7, 27-28 : « solutus es ab uxore ? ne quaesieris uxorem, sed si duxeris non delinques »), parce qu'elles entrent dans la catégorie du conseil de l'Apôtre, ne sont pas un précepte divin (§ 1). Dans aucun autre passage des *Épitres* de saint Paul une telle concession prend le caractère de précepte ; et même dans *I Cor.* l'Apôtre, après avoir concédé les secondes noces, cherche immédiatement et de plusieurs manières à limiter ce qu'il avait concédé (§ 2), distinguant toujours le conseil humain et l'ordre, précepte de l'Esprit-Saint (§ 4). Le raisonnement est parallèle à celui que l'on peut lire dans *Mon.* 11, 4 s. ; 11, 10 s.

4, 2. quod a domino... interdictum. C'est une des nombreuses observations arbitraires qui caractérisent le *De exhortatione castitatis.* Cf. également *Cor.* 2, 4 : « immo prohibetur quod non ultro est permissum » ; *Mon.* 4, 4 : « negat scriptura quod non notat ». Selon Cl. Aziza (*Tertullien et le Judaïsme*, p. 212) ce type de raisonnement ne serait pas un sophisme pur et simple, mais suivrait un schéma d'origine rabbinique. — **interiectio.** Autre terme abstrait, comme dans *Vx.* II, 6, 2, avec toujours une référence à l'Écriture. — **recogitationem... passa.** Personnification d'un concept abstrait, qui est une caractéristique constante du style de Tertullien — il s'agit ici de l'*interiectio*. Cette interprétation des paroles de l'Apôtre est reprise dans *Mon.*

11, 10 et le sera encore par Jérôme, *Iouin.* I, 13, *PL* 23, 229 C. — **huiusmodi**. Ellipse de *homines*, due à la traduction latine dont se servait Tertullien. On trouve aussi *huiusmodi* dans la *Vulgate* pour οἱ τοιοῦτοι du texte paulinien. — **in collecto** (ou *in collectum* ?) est la traduction de *I Cor.* 7, 29 (ὁ καιρὸς συνεσταλμένος ἐστίν) dans Tertullien ; Cyprien (*Testim.* III, 11) a, plus fidèlement au texte grec, *tempus collectum est.* Dans notre passage, on pourrait accepter (avec l'*Agobardinus*) la forme *in collectum* : cf. les exemples que V. Bulhart (*De sermone Tertulliani, CSEL* 76, p. XXXI,§ 59d) a recueillis où l'on rencontre l'accusatif là où l'on attendrait l'ablatif. Il n'est pas exact, en effet, de dire que Tertullien utilise toujours *in collecto est* (cf. aussi plus loin, 6, 1 *in collecto* ; *Mon.* 3, 8 ; *in collectum* : *Mon.* 7, 4 ; 11, 4), comme l'avait soutenu H. Rönsch, *Das Neue Testament Tertullian's,* Leipzig 1871, p. 380 et 673-674. Quant à la signification de *collectus*, Rönsch trouve comme seuls *loci paralleli* d'une part *An.* 37, 6 (« collectus habitus est illi et futuro interim minor » ; mais Waszink (*ad locum*), suivant les indications de Tertullien, n'exclut pas le sens de *solidus*) et, d'autre part, l'adverbe *collectim* dans Mamert., *De statu animae* 3, 14. — **habentes matrimonia**. Cf. *I Cor.* 7, 29 ; cf. aussi *Vx.* I, 5, 4 : *qui matrimonia habent.* Cyprien est plus littéral : *qui habent uxores* (*Testim.* III, 11). — **pro non habentibus**. Dans *Vx.* I, 5, 4, on lit *tamquam non habentes,* tandis que chez Cyprien, nous trouvons, de manière analogue, *quasi non habentes.* L'oscillation est sans doute due au fait que Tertullien citait de mémoire un passage très célèbre.

4, 3. ad exemplum suum hortatur. Cf. *Vx.* I, 3, 6. — **quid nos uelit esse.** Tandis que dans *Vx.* (I, 3, 6 ; II, 1, 4 ; 2, 4) Tertullien employait *malle, cupere* ou *hortari* (et de même encore dans *Marc.* V, 7, 6 où la polémique avec l'hérétique le contraignait à se distinguer de lui et donc à modérer son encratisme), à partir de *Cast.*, Tertullien emploie *uelle* pour exprimer la pensée de l'Apôtre (*I Cor.* 7, 7) et sa préférence pour une vie de chasteté (cf. R. Braun, « Tertullien et l'exégèse », p. 25, n. 31).

4, 4. at enim. Tour fréquent dans le latin tardif et chrétien pour le simple *at*, cf. Leumann, Hofmann, Szantyr, *Syntax,* p. 489 ; J. Schrijnen, Ch. Mohrmann, *Studien zur Syntax der Briefe des hl. Cyprian,* Nijmegen 1936-1937, II, p. 79. Avec une plus grande sensibilité aux problèmes de style, J. Fontaine fait remarquer que ce tour introduit une affirmation caractéristique du style parlé (cf. *Tertullien, De corona.* Édition, Introduction et commentaire, Paris 1966, p. 168). — **dei spiritum** (ou *spiritum dei* ?). La première leçon est celle de l'*Agobardinus* et elle est peut-être la *lectio difficilior,* car *spiritum Dei* se trouve dans la *Vulgate*, par laquelle elle peut avoir pénétré dans le *Corpus Cluniacense.* Le fait que *spiritum Dei* se trouve aussi dans *Mon.* 3, 6 sans hésitation dans les manuscrits, est peut-être dû à une citation faite de mémoire. Le passage parallèle de *Cor.* 4, 6 où se trouve la même distinction entre *consilium* et *praeceptum* de l'Apôtre n'est pas une citation précise. — **Videmus duo consilia.** Sur cette différence entre *scriptum* et *uoluntas,* cf. J.-C. Fredouille, *o.c.,* p. 115-116 ; entre *consilium* et *praeceptum, ibid.,* p. 117-120. Cf. aussi ce qui a été dit plus haut.

4, 5. spiritus sancti consilium. Tertullien, comme en général tous les écrivains pré-nicéens, est assez ambigu sur le contenu du mot *spiritus,* dont le sens est tantôt celui de « don de Dieu », tantôt celui d'« esprit de Dieu », compris comme Personne. L'Apôtre avait parlé de *Spiritus Dei* comme élément d'inspiration plus profonde et plus grande, celui par lequel le vrai chrétien se distingue du ψυχικός : Tertullien, au contraire, parle explicitement ici du « conseil de l'Esprit-Saint », ce qui paraît signifier la Personne divine comme dans

4, 6 : *Spiritus Sancti auctoritas*, et peu après : *pro eius maiestate* ; cependant, quand il paraphrase Paul, il dit de lui : *spiritum Dei se habere*. Je ne dirais pas cependant que Tertullien
entend « Saint-Esprit » là où l'on parlait de « l'Esprit » comme
don de Dieu : de tels flottements, comme on l'a dit, sont nor-
maux dans le christianisme d'avant Nicée. Sur ce passage, cf.
les observations de W. Bender, *Die Lehre über den Heiligen
Geist bei Tertullian*, Munich 1961, p. 112-113. La *maiestas*
de l'Esprit-Saint est encore soulignée en *Res.* 24, 8, dans
un passage où, comme ici, on évoque l'enseignement du
Saint-Esprit lui-même aux apôtres, qui l'accueillent dans
toute sa plénitude. D'autre part, comme l'observe J.-C.
Fredouille (*o.c.*, p. 116-117), il était normal pour la mentalité
romaine de considérer la *lex quae uetat* comme supérieure à
la *lex quae permittit*, ainsi que nous pouvons le déduire des
nombreux exemples qu'offrent les écrivains techniques ; cf.
Quint., *Instit. Orat.* 7, 7, 7 ; Ps. Quint., *Declam.*, p. 374,
27 ; Cic., *Inu.* 2, 145 (textes cités par J.-C. Fredouille). Ici la
loi qui interdit le mariage est jugée supérieure à celle qui le
permet. − **spiritum quidem Dei.** La possession de l'Esprit est
un don commun à tous les chrétiens, parce que le baptême
est la *consecutio Spiritus Sancti* (*Marc.* I, 28, 3 ; *Bapt.* 6, 1).
Les passages néotestamentaires que l'on pourrait citer à ce
propos sont assez nombreux, mais c'est surtout dans les
Actes des Apôtres qu'on insiste sur le fait que l'obtention de
l'Esprit de Dieu est le fruit du baptême chrétien. − **fideles.**
Fidelis est le terme technique par lequel le christianisme latin
traduit πιστός (un néologisme sémasiologique, comme le
remarque Chr. Mohrmann, *Études sur le latin...*, I, p. 118). −
sed non omnes fideles apostoli. Les apôtres se distinguent des
simples fidèles en ce sens que ceux-ci possèdent partiellement
l'Esprit de Dieu, à proportion de leur mérite, tandis que les
apôtres le possèdent *plene*, tant il est vrai qu'ils ont la capacité d'accomplir ce qui n'est pas accessible au simple fidèle.
Tertullien s'appuie probablement sur les paroles du Christ

lui-même (« Recevez le Saint-Esprit » : *Jn* 20, 22 ; *Act.* 1, 8),
qui l'autorisent à croire à une présence plus vive, plus pleine
de l'Esprit chez les apôtres.

4, 6. in operibus prophetiae, etc. Probablement paraphrase
de *I Cor.* 12, 7 s. Chr. Mohrmann observe (*Études*, I, 42
et 62) que le grécisme *propheta* a remplacé le correspondant latin *vates,* trop suspect aux chrétiens, parce que ce terme désignait explicitement les mystères païens ; plus tard
vates a été introduit dans la langue chrétienne, mais seulement en poésie, et il fut ensuite définitivement écarté (*ibid.,*
p. 156). *Virtutes* est également un terme spécifique du
christianisme pour indiquer les δυνάμεις (les miracles).
Quant au fait que la pleine possession de l'Esprit de Dieu
est réservée aux seuls apôtres, Tertullien fait, ailleurs et
de façon analogue, une allusion aux faits racontés (cf.
Praes. 30, 15-17 et *Pud.* 21, 5-6). « Efficacia uirtutum documentisque linguarum » pourrait être une allusion aux faits racontés dans les *Actes des Apôtres*, entre autres le phénomène
de la glossolalie. Un passage intéressant sur le rapport qu'il y
a entre le charisme prophétique et le charisme apostolique se
trouve dans *Marc.* IV, 24, 8-9 : « tam enim apostolus Moyses
quam et apostoli prophetae. Aequanda erit auctoritas
utriusque officii, ab uno eodemque domino apostolorum et
prophetarum ». Notons enfin que l'opposition entre la *nubendi
uenia* et le *consilium Spiritus Sancti* sera reprise par Jérôme,
Iouin. I, 14, *PL* 233 A ; *Epist.* 123, 5-6. — **adire fecit**. La construction de *facio* + infinitif substituée à un verbe causatif est
déjà attestée chez Virgile (*Aen.* II, 539) ; il est ensuite fréquent dans le latin tardif (cf. Leumann, Hofmann, Szantyr,
Syntax, p. 354 , Hoppe, *Syntax,* p. 51 ; *Beiträge,* p. 42).

CHAPITRE V

La loi de la monogamie trouve son premier exemple à l'origine du genre humain : Adam n'eut qu'une seule femme, et cette union fut bénie par les paroles de Dieu : « erunt duo in carnem unam » (*Gen.* 2, 24) ; ils ne furent pas trois ou quatre en une seule chair (§ 1). Le second exemple que nous devons suivre est fourni par les noces spirituelles entre le Christ et l'Église (cf. *Éphés.* 5, 31) : « unus enim Christus et una eius ecclesia » (§ 3). C'est pourquoi nous sommes nés d'un seul mariage : celui d'Adam dans la chair, et celui du Christ, dans l'esprit. En ce qui concerne la citation de *Gen.* 2, 24 (« erunt duo in carnem unam », reprise pour la même argumentation également dans *Mon.* 4, 2), Micaelli (*o.c.*, p. 87) remarque que Tertullien attribue ces paroles non pas à Dieu, mais à Adam, lequel les aurait prononcées pendant le sommeil extatique qui lui avait été envoyé par Dieu. Le thème d'Adam prophète dériverait de Théophile d'Antioche (*Ad Autol.* II, 28 : « et Adam prophétisa en disant : pour cette raison l'homme quittera son père et sa mère, etc. »). Une telle conception, remarque J. Daniélou (*Message évangélique et culture hellénistique*, Tournai 1961, p. 357), serait aussi caractéristique des écrits pseudo-clémentins. Selon J.-C. Fredouille (*o.c.*, p. 109) l'utilisation du thème du premier homme pour la défense de la monogamie ne dériverait pas, comme le veulent certains, des textes rabbiniques ; il n'est pas exclu en effet que cela ait été reçu dans le christianisme antique avant Tertullien, car on lit dans Athénagore (*Suppl.*, 33) : « celui, en effet, qui se sépare de sa première femme, même si elle est morte, est un adultère déguisé, parce qu'il viole l'œuvre de Dieu, qui au commencement avait formé un seul homme et une seule femme ».

5, 1. ipsa origo humani generis. L'importance de la situation primordiale, originaire, est rappelée plusieurs fois par Tertullien. Elle représente en effet la condition idéale, parfaite, de l'homme qui, venant tout juste d'être créé par Dieu, n'était pas encore défiguré par le péché. Une telle conception pouvait peut-être trouver quelqu'appui dans certains passages de l'Évangile (cf. pour la question du divorce, *Matth.* 19, 8 : « ab initio autem non fuit sic ») et être corroborée par la doctrine paulinienne (cf. *Éphés.*, 1, 9-10) de la *recapitulatio*, qui fut répandue grâce à l'autorité d'Irénée et caractérise la pensée de Tertullien pendant sa période montaniste : en effet, on la lit aussi dans *Mon.* (4, 1-4 ; 11,4). Mais même avant son adhésion au montanisme, Tertullien prenait déjà comme critère d'appréciation l'origine de l'homme : cf. *Praes.* 20, 7 (« omne genus ad originem suam censeatur necesse est »). — **patrocinatur.** Cf. *Mon.* 5, 1 (*patrocinium*). — **contestans.** Suivi d'une interrogation indirecte, se trouve aussi dans *Carn.* 18, 4 : c'est pourquoi la correction (du reste peu justifiée quant à l'autorité des manuscrits) de *quid* en *quod*, proposée par Kroymann, paraît inutile. — **in formam.** Le terme *forma* prend souvent chez Tertullien un sens légaliste ; cf. les exemples rassemblés à ce sujet par J. Moingt, *o.c.*, IV, p. 88 et s. — **posteritatis** au lieu de *posteritati*, pareillement attesté par les manuscrits doit être préféré, car c'est un autre exemple de *genitiuus pro datiuo* (cf. 2, 5). — **recensendum.** La leçon *recensendam* pourrait être considérée comme une erreur banale d'accord avec le genre et le cas du mot précédent (*formam*). En fait, ce n'est pas la *forma* qui doit s'imposer aux générations suivantes (*posteritas*), mais c'est l'exemple qui s'impose comme *forma*. — **figulasset.** Le verbe

apparaît souvent dans les manuscrits en alternance avec
figurare (cf. par exemple *Cor.* 5, 1) ; selon R. Braun (*o.c.*,
p. 402-404) il s'agit d'un néologisme chrétien forgé par
Tertullien lui-même. Quoi qu'il en soit, aussi bien *figulare*
que *figurare* sont des termes spécifiques pour désigner la
création de l'homme ; cf. aussi J. Fontaine (*Tertullien, De
Corona*, p. 80). — **parem necessariam prospexisset.** Ce fut un
acte providentiel et bénéfique que celui de Dieu, comme on le
voit dans *Marc.* II, 4, 5. Pour l'idée suivante impliquée dans
mutuari, cf. *Vx.* I, 3, 1. — **plures costae... apud deum.** La
phrase est construite sous forme de *sententia*, de type asianique, avec ellipse de la copule, parallélisme et anthithèse.

5, 2. homo dei Adam. L'étymologie d'Adam (= homme)
et d'Ève (= femme) correspond effectivement à celle des deux
noms hébreux et devait être amplement répandue dans le
milieu chrétien ; elle revient chez Tertullien lui-même dans
Virg. 8, 2 : « sic uir Adam ante nuptiarum congressum,
quemadmodum et Eua mulier ». Mais ici, il y a quelque chose
de plus : Adam n'est pas seulement *homo*, mais *homo Dei*, et
Ève est *mulier Dei.* Dans cette conception il y a peut-être un
souvenir de la place éminente reconnue dans le Judaïsme aux
deux *protoplasti* (sur ce sujet, cf. Kittel, *TWNT s.u.* Adam).
— **unis.** Sur l'usage de *unus* au pluriel, cf. Kühner-Steg-
mann, *Ausführliche Grammatik der lateinischen Sprache,*
Dritte Auflage durchgesehen von A. Thierfelder, Leverkusen I,
1955, p. 657. Pour le raisonnement, cf. *Vx.* I, 2, 1 et *Mon.* 4,
2 (l'argumentation ne fut donc pas abandonnée d'un ouvrage
à l'autre, mais conserve toute sa force aux yeux de Tertullien. Elle sera reprise par Jérôme, *Epist.*, 123, 11). —
formam... sanxerunt. Comme on l'a dit plus haut, les institutions primordiales constituent une norme pour les temps qui
suivent et l'*homo Dei* (Adam) avec la *mulier Dei* (Ève)
établissent la norme pour ceux qui, aux temps chrétiens, veulent être des *homines Dei.* — **in carne una** (ou *in carnem*

unam ?). Le texte d'*Éphés.* 5, 31 (εἰς σάρκα μίαν) est rendu par l'accusatif dans *Mon.* 4, 2, par l'ablatif dans *Vx.* II, 8, 7 ; *Marc.* IV, 34, 2 et V, 18, 9 ; *Virg.* 5, 2 (de même dans la *Vulgate*). Il est probable que les traductions latines comme les citations de Tertullien hésitent entre la forme grammaticalement plus régulière de l'ablatif et celle plus littérale de l'accusatif. — **coniunctio et concretio in unitatem.** On notera l'allitération et le caractère concret de l'image, typique de l'esthétique de Tertullien. *Concretio* est un mot rare, forgé par Cicéron (cf. *Tusc.* I, 27, 66 et *Nat. deor.* I, 25, 71), utilisé ensuite fréquemment à partir de Tertullien, chez qui il exprime la fusion de l'âme et du corps, leur unité : cf. J. Moingt, *o.c.*, IV, p. 50. — **sed una plane caro in plures.** Avec une extrême habileté, Tertullien présente l'union charnelle une première fois dans le passage de la pluralité à l'unité (« et erunt iam non duo in unam carnem »), ensuite dans le passage de l'unité à la pluralité (« sed una plane caro in plures »). Cette opposition rend donc préférable la leçon du *Corpus Cluniacense* (*una... caro*) à celle de l'*Agobardinus* (*una... costa*). La correction de Kroymann (*contra* pour *caro*) n'est pas justifiée. La *concretio* concerne la *caro* selon *Gen* 2, 24, non la *costa* qui se réfère à une action précédente (*Gen* 2, 22), même s'il n'y a pas lieu d'exclure une métonymie de *costa* pour *caro*.

5, 3. spiritales nuptias. Les noces spirituelles du Christ et de l'Église (interprétation de *Gen.* 2, 24 selon la doctrine paulinienne d'*Éphés.* 5, 31) constituent une doctrine commune à tout le christianisme antique. Pour nous limiter à Tertullien, cf. *Marc.* V, 18, 9 ; *Mon.* 5, 7. *Spiritalis* (πνευματικός) est un autre terme spécifique du christianisme antique, souvent associé, de manière antithétique, à *carnalis* (σαρκικός). Cf. Ch. Mohrmann, *o.c.*, I, 25 et 89. — **secundum generis fundamentum** : comme on l'a expliqué aux § 1-2, *fundamentum* a été choisi probablement pour créer un homéotéleute avec *sacramentum* ; autre homéotéleute, le couple *duplicatam-exaggeratam.* — **sacramentum.** C'est un

autre mot-clé du christianisme antique : il correspond à
μυστήριον des textes grecs (ici *Éphés.* 5, 32), premiers
temps du christianisme. Il a éliminé la translittération *mysterium* qui évoquait trop ouvertement les mystères païens, et
risquait d'entraîner une confusion entre le christianisme et
l'un de ceux-ci. Cf. Ch. Mohrmann, *o.c.*, I, p. 233-244, qui
fait remarquer que *mysterium* a été par la suite employé au
sens liturgique ; pour plus de détails, le travail classique de J.
De Ghellinck, *Pour l'histoire du mot « sacramentum ». I. Les
Anténicéens*, Louvain-Paris 1924, p. 127.

5, 4. censemur. Le verbe a une acception spécifiquement
tertullianéenne qui se fonde probablement sur une volonté de
« restitution » artificielle du sens archaïque du mot : « nous
sommes considérés selon le *census* », « nous avons notre origine » (cf. Hoppe, *Syntax*, p. 119). A la base de cette affirmation, il y a selon nous la conception paulinienne du Christ
comme second Adam (*Rom.* 5, 12-14 ; *I Cor.* 15, 20-22), et
non l'écho de *Gal.* 4, 21-26, comme le pense Kroymann. Ceci
est encore confirmé par l'imitation de ce passage que fait Jérôme (*Epist.* 123, 11) : « ... ut et primus Adam in carne, et se-
cundus in spiritu monogamus sit ». Il ne faut pas exclure que
le terme renferme en soi, dans une multiplicité d'évocations de
concepts, également une référence au baptême, qui est la seconde naissance dans le Christ, dont on parle aussitôt
après. — **monogamiae praescriptum.** Utilisation habituelle des
termes juridiques avec application à la loi de la monogamie,
que Tertullien veut introduire. Cf. aussi *exorbitare* peu après,
qui bien qu'utilisé avec un sens concret (« sortir de la route »)
implique toujours la violation d'une règle (cf. *Apol.* 20, 3 : « ...
officia temporum et elementorum munia exorbitant » ; Lact.,
Inst. II, 5, 12 : « ex hoc enim apparet deos non esse [uniuersa
caelestia], quod exorbitare illis a praestitutis itineribus non licet »). — **Lamech.** Cf. *Mon.* 4, 4, pour l'emploi de cet exemple
et déjà Théoph. *Ad Autol.* II, 30 : « à partir de ce moment
(c'est-à-dire de Lamech), date le commencement de la polyga-

mie » ; ceci sera repris par Jérôme, *Iouin.* I, 14, *PL* 23, 233 C.
Le raisonnement se termine sur une *sententia* certainement insoutenable : mais elle est confirmée d'une manière péremptoire dans *Mon.* 4, 3 : « neque enim refert, duas quis uxores singulas habuerit an pariter singulae duos fecerint ; idem numerus coniunctorum et separatorum ».

CHAPITRE VI

Si Adam avec son mariage monogamique a représenté un *typus*, on ne peut pas en dire autant des patriarches dont la polygamie ne peut fournir aucune règle. Du reste, les préceptes de l'Apôtre (*I Cor.* 7, 29 selon le texte de Tertullien : « tempus iam in collecto esse ; restare ut et qui uxores habeant tamquam non habentes agant ») ont explicitement corrigé le commandement initial de Dieu : *crescite et multiplicamini* (*Gen.* 1, 28). Cette affirmation, suivant laquelle le passage de saint Paul doit être compris comme un refus explicite de la permission donnée par Dieu à l'origine, est typique des œuvres montanistes de Tertullien (cf. *Mon.* 7, 3 ; *Pud.* 16, 19) comme l'a observé J.-C. Fredouille, « *Aduersus Marcionem* I, 29 : Deux états de la rédaction du traité », *REAug.* 13, 1967, p. 8. Le même auteur a soumis à un sérieux examen ce passage du *De exhortatione castitatis* en le comparant au passage parallèle de *Marc.* I, 29, dans lequel l'écrivain carthaginois assume la défense du mariage selon la doctrine catholique. Dans l'*Aduersus Marcionem*, Tertullien, sans diminuer les mérites de la continence, comme le faisaient les Nicolaïtes, pense que la *felicitas sanctitatis* ne doit pas entraîner avec elle la condamnation du mariage. Entre la chasteté et le mariage, il existe la même différence que celle qui sépare le *melius* du *bonum*. Une telle distinction d'origine paulinienne (on la trouve dans *I Cor.* 7, 38, que Tertullien devrait avoir sous les yeux en composant le *De exhortatione castitatis*) est exactement la thèse que reprendront ensuite saint Augustin (*De bono coniugali* 8, 8 et

23, 29) et Jérôme (*Iouin.* I, 13 ; *Epist.* 49, 7). Une telle orthodoxie, une telle modération ne se trouvent plus dans les œuvres de Tertullien, pas même dans les passages où l'auteur, dans sa polémique avec les hérétiques, prend la défense du mariage. Dans le même passage de *Marc.* I, 29, après les § 1-4, dans lesquels Tertullien expose sa conception modérée de la sexualité dans le mariage, suivent des considérations qui ne peuvent pas ne pas apparaître comme contrastant avec les précédentes, et dans lesquelles Tertullien rapporte à la nouvelle prophétie le *modus nubendi* qu'il professe. L'hypothèse de J.-C. Fredouille est donc assez vraisemblable : pour lui, en effet, les § 1-4 de *Marc.* I, 29 appartiennent à la première rédaction de l'*Aduersus Marcionem* alors que les § 5 et suivants correspondent à la troisième et dernière rédaction de l'œuvre.

6, 1. innumerum nubere ? Le même raisonnement contre la polygamie se lit dans *Vx.* I, 2, 2 et *Mon.* 6, 3-4 ; il sera repris par Jérôme, *Iouin.* I, 16 ; *Epist.* 123, 12. On peut se demander si la leçon *in numerum* des mss, de *R* et de Kroymann, ne serait pas préférable ; pourtant, selon nous, cette leçon est à rejeter parce qu'elle donne un sens plus faible (« pour un certain nombre de fois », « pour plus d'une fois ») tandis que Tertullien insiste avec une certaine exagération, c'est vrai, mais qui est typique de sa manière, sur le fait que, une fois violées les noces monogamiques, la route est libre, pour se marier d'« innombrables » fois. De même, Waszink (recension citée p. 185) préfère lire avec Rigault, *innumerum*. — **typi.** Les *typi* du monde vétéro-testamentaire se sont tous accomplis avec la révélation du mystère chrétien : ainsi, le *typus* des noces d'Adam et Ève s'est accompli dans les noces spirituelles du Christ et de l'Église. C'est pourquoi, pour être justifiées, les *nuptia* répétées à l'époque chrétienne doivent être la *figura* (c'est le terme qui, comme on le sait, est employé comme traduction du grécisme peu élégant *typus*) d'un *sacramentum,* d'un mystère futur. D'où : *quod nuptiae tuae figurent,* en acceptant la correction de Kroymann. *Quos... figurent* exigerait en effet d'être rapporté à *typi,* dont les noces devraient être la *figura.* Mais la *figura* elle-même est *typus,* non figure d'un *typus.* Il est moins vraisemblable, me semble-t-il, qu'il s'agisse ici d'une surabondance oratoire : les noces répétées donnent une « figura » au *typus,* c'est-à-dire qu'elles réalisent le *typus.* J. De Ghellinck (*o.c.,* p. 127) qui avait sous la main le texte d'Oehler et des manuscrits (*quos nuptiae tuae figurent*) traduit : « cela nous serait permis s'il y avait encore aujourd'hui des types, symboles de quelque chose à venir, qui seraient figurés par vos noces ». Observons enfin que Tertullien, même en faisant abstraction de ce cas, est assez peu porté à l'interprétation typologique. Les exemples d'interprétation typologique que l'on rencontre dans ses œuvres révèlent presque tous une exégèse traditionnelle ; il n'en présente pas (à ma connaissance) de nouvelles, du moins parmi celles qui ont été reprises par les écrivains postérieurs. En ce qui concerne ce passage, le type de la polygamie des patriarches est expliqué par le *locus parallelus* de *Mon.* 6, 1 s. où la digamie d'Abraham est interprétée selon l'explication de *Gal.* 4, 21 s.

6, 2. continentiam indicens. Langage légaliste habituel des prescriptions chrétiennes, comme on l'a observé *supra* (3, 6). — **seminarium** et peu après **sementem** représentent un autre exemple typique du caractère concret des images tertullianéennes. — **dispositio.** Le terme est typique de la théologie de Tertullien. Il peut indiquer l'οἰκονομία de la Trinité (cf. R. Braun, *Deus Christianorum,* Paris 1977[2], p. 160-167), comme on peut le voir surtout dans l'*Aduersus Praxeam* ; il peut cependant indiquer, comme ici, le plan salvifique de Dieu, qui l'avait conçu *ab initio* (cf. à ce propos les observations de S. Otto, *Natura und Dispositio. Untersuchung zum Naturbegriff und zur Denkform Tertullians,*

München 1960, p. 195-204). Donc, dans le cadre du mariage, on distingue une *uetus dispositio* (cf. plus loin, § 3),
qui permettait les secondes noces, d'une *noua dispositio*, qui
commence avec l'Évangile. Les nombreuses attestations du
terme *dispositio* sont recueillies et interprétées par Moingt,
o.c., IV, p. 70 s. — **indultis coniugiorum habenis.** C'est une
métaphore semblable à celle de *Mon.* 1, 1 : « quid agis, lex
creatoris ? inter alienos spadones et aurigas tuos (cf. Bulhart,
ad. locum) tantundem quereris de domestico obsequio quan-
tum de fastidio extraneo... ». — **nouae disciplinae.** C'est la
discipline de la nouvelle prophétie : cf. *Virg.* 1, 4 : « cum
propterea Paracletum miserit Dominus ut, quoniam humana
mediocritas omnia semel capere non poterat, paulatim dirige-
retur et ordinaretur et ad perfectum perduceretur disciplina
ab illo uicario Domini Spiritu Sancto... ». — **sub extremitatibus temporum.** Reprend le concept du *tempus in collecto
est,* confirmant donc une croyance (celle de la fin prochaine)
que Tertullien (probablement en conformité avec la communauté chrétienne de l'époque) avait déjà manifestée dans
Apol. 32, 1 ; *Scap.* 2, 6. Mais le concept d'*extremitas
temporum* est fondamental même pour le montanisme : il
désigne cette période, la dernière de la vie de l'humanité, dans
laquelle serait manifesté l'enseignement du Paraclet, comme
l'enseignait la prophétie de *Joel* 3, 1. Cf. aussi *Vx.* I, 2, 4 ;
Mon. 7, 4 ; *Marc.* V, 4, 2. — **compressit... in ultimo.** Une
période construite avec la plus grande habileté, selon un
rigoureux parallélisme. — **prorogationis** de l'*Agobardinus* est
la leçon exacte, banalisée en *propagationis* par le *Corpus
Cluniacense.* Kroymann indiquait déjà Val. Max. III, 4, 6
comme exemple de cette signification de *prorogare = pro-
pagare*, mais d'autres exemples peuvent être encore trouvés
dans l'*Oxford Latin Dictionary.* — **repastinationis.** Image
typiquement tertullianéenne, empruntée au monde de l'agri-
culture pour rendre le concept de « rénovation » et à la fois de
« limitation » ; cf. *Cult.* II, 9, 5 (et la note de M. Turcan, *ad*

locum) ; *Marc.* II, 18, 1 ; *Paen.* 11, 2 ; H. Hoppe, *Syntax,*
p. 137. L'image de la forêt sera reprise par Jérôme, *Iouin.*
I, 16, *PL* 23, 235 C ; *Heluid.* 21, 205 A ; *Epist.* 123,
12. — **initia... contrahuntur.** Nouvelle *sententia* construite
avec un rigoureux parallélisme. Nous modifions la division
en paragraphes immédiatement après la *sententia.* Cyprien se
souviendra de ce passage quand il écrira, *Hab. uirg.* 23 :
« prima sententia crescere et multiplicari praecepit, secunda
et continentiam suasit. Dum adhuc rudis mundus et inanis
est, copiam fecunditate generantes propagamur et crescimus
ad humani generis augmentum : cum iam refertus est orbis et
mundus impletus, qui capere continentiam possunt spadonum more uiuentes castrantur ad regnum. Nec hoc iubet
Dominus, sed hortatur, nec iugum necessitatis imponit... »
Dans cette discordance avec le *Magister* (comprenons Tertullien) se manifeste toute la personnalité parfaitement équilibrée de Cyprien.

6, 3. ad radicem arboris. Cf. *Cor.* 13, 2 : *ad caudicem
arboris.* Cela nous conduit à préférer la leçon du *Corpus Cluniacense* (*ad radicem : Agobardinus*). — **posteriora pristinis
praeualere.** On notera l'allitération. Cette affirmation pourrait
être l'écho d'une sentence juridique. L'affirmation de Modesti-
nus qui se lit dans *Dig.* I, 4, 4 est en effet analogue. Le concept est amplement développé dans l'*Apologeticum* (cf.
chap. 4, 6 s. ; 6 en entier) pour convaincre les magistrats
païens d'abandonner l'ancienne législation antichrétienne. *Se-
quentia antecedentibus praeualent,* lit-on encore dans *Bapt.*
13, 1, à propos d'une polémique avec les hérétiques qui re-
poussaient le baptême en allégeant le cas d'Abraham. J.-
C. Fredouille observe justement (*o.c.*, p. 293-294) que selon
Tertullien l'histoire du salut se déroule selon certaines étapes,
de sorte que les nouveaux préceptes relatifs à la discipline
abrogent les anciens.

CHAPITRE VII

Plutôt que de se reporter aux exemples bibliques qui, comme celui de la polygamie, ont perdu leur valeur, il est préférable de se référer à ceux qui fixent la discipline même pour l'avenir, à ceux qui annoncent à l'avance la loi nouvelle et le comportement nouveau du chrétien. C'est le cas, par exemple, du *Lévitique*, qui interdit aux prêtres de se remarier (§ 1). Une telle prescription ne se limite pas aux prêtres parce que même les laïcs sont prêtres ; ayant les mêmes prérogatives que les prêtres, il est logique qu'ils aient aussi les mêmes devoirs (§ 2-3). Une certaine autonomie des fidèles dans le domaine disciplinaire est reconnue également dans *Cor.* (4, 5) : « an non putas omni fideli licere concipere et constituere, dumtaxat quod Deo congruat, quod disciplinae conducat, quod saluti proficiat... » ? La différence entre l'ordre sacerdotal et les fidèles est constituée par la seule *ecclesiae auctoritas* (§ 3). Du reste, comment pourrait-on ordonner prêtres des laïcs qui n'ont pas respecté les devoirs qui seront ensuite typiquement ceux du sacerdoce ? (§ 4-5). La dignité sacerdotale des laïcs, dont il est ici question, est clairement affirmée par Tertullien dans ce passage, mais elle était déjà implicitement formulée dans plusieurs de ses traités antérieurs, comme l'a fait remarquer G. Otranto, « Nonne et laici sacerdotes sumus ? (*Cast.* 7, 3) », *Vet. Chr.* 8 (1971), p. 27-47. L'idée, qui provient, en dernière analyse, de *I Pierre* 2, 5 et 9 et *Apoc.* 1, 6, s'appuie sur la conviction que le chrétien acquiert avec son baptême la dignité sacerdotale. Un tel sacerdoce est participation au sacerdoce du Christ, et Tertullien souhaitait que la vie de tous les baptisés fût en accord avec la *disciplina*. En *Bapt.* 7, 1-2 (« A la sortie du bain, nous recevons une onction d'huile bénite, conformément à la discipline antique. Selon celle-ci, on avait coutume d'élever au sacerdoce par une onction d'huile répandue de la corne ; ainsi, Aaron fut oint par Moïse. Et notre nom de « Christ » vient de là, de « chrisma » qui signifie onction et qui donne aussi son nom au Seigneur. Car c'est cette onction transposée au plan spirituel que dans l'Esprit il reçut de Dieu le Père... Par nous aussi l'onction coule sur le corps, mais nous profite spirituellement... », *SC* 35, p. 76), Tertullien esquisse un parallèle entre l'onction de la loi ancienne, faite en vue du sacerdoce, et le baptême du chrétien ; en *Orat.* 28, 3, la prière du chrétien est directement reliée à sa condition sacerdotale (« nos sumus ueri adoratores et ueri sacerdotes, qui spiritu orantes spiritu sacrificamus orationem hostiam Dei propriam et acceptabilem... »). Ces affirmations dans deux œuvres prémontanistes (*Bapt.* et *Orat.*) empêchent de penser (contrairement à ce qu'ont cru certains, comme A. d'Alès, *o.c.*, p. 492) que Tertullien avait élaboré sa conception du sacerdoce des laïcs sous l'influence du montanisme.

En revanche, les difficultés d'interprétation sont plus grandes dans le passage où il est dit que là où est absente la hiérarchie, le laïc a le droit, en tant que prêtre, d'*offerre* et de *tinguere* (*Cast.* 7, 3 : « et offers et tinguis et sacerdos es tibi solus »). Quelles sont les limites des prérogatives ainsi reconnues au laïc ? En particulier, comment faut-il comprendre *et offers* ? Il est clair que cette expression ne peut pas vouloir dire : « offrir le sacrifice », ou « offrir la prière par l'intermédiaire du prêtre », comme le croyait K. Adam, *Der Kirchenbegriff Tertullians*, Paderborn 1907, p. 102-103 et 108 : comment, en effet, le laïc pourrait-il « offrir le sacrifice par l'intermédiaire du prêtre », puisque, dans ce passage, précisément, le laïc se voit reconnaître les prérogatives du prêtre et le droit d'*offerre*

en l'absence de la hiérarchie ecclésiastique ? Comme on
le sait, *offerre* est un verbe désignant la célébration eucharistique : Tertullien serait l'unique témoin du droit (fût-il
exceptionnel), reconnu aux laïcs, de procéder à la consé-
cration. Ainsi, ou bien Tertullien, en cette occasion
unique, a porté jusqu'à ses conséquences extrêmes la tendance montaniste à souligner les prérogatives du chrétien
en face de la hiérarchie ; ou bien, on pourrait penser à une
autre explication, en se référant à l'usage, vivant dans les
périodes de persécution, de prendre soi-même la nourriture eucharistique, en l'absence de prêtre et de diacre. De
fait, les fidèles emportaient chez eux, après la célébration
dominicale, le pain consacré (cf. *Vx.* II, 5, 3 : « non sciet
maritus quid secreto ante omnem cibum gustes ? Et si
sciuerit panem, non illum credet esse qui dicitur ? » cf.
Munier, p. 186). En revanche, l'administration du baptême
en cas de nécessité était chose normale (cf. *Bapt.* 17, 2-3).

7, 1. de pristinis exemplis. Usage partitif de *de*, fréquent
chez Tertullien (cf. Hoppe, *Syntax*, p. 38) et dans le latin
tardif (cf. E. Löfstedt, *Philologischer Kommentar zur Peregrinatio Aetheriae*, Uppsala 1911, p. 106 s.). — **communicant.** L'usage de *communicare de aliqua re* (intransitif, donc)
semble commencer avec Tertullien : cf. *Marc.* I, 9, 10 : « ...ad
eorum certorum formam prouocanda erunt, cum quibus de
communione status principalis censentur, ut proinde et de
probatione communicent » ; *Val.* 6, 2 : « quae cum alia
significatione communicant » (cf. la note de J.-C. Fredouille,
ad loc.). — **disciplina.** A probablement le sens de « discipline
de la vie montaniste », acception qui conduit à insister
fréquemment sur la *nouitas* de celle-ci (cf. *supra*, 6,
2). — **castratam.** La métaphore, très forte, entre dans le cadre
sémantique typique de la manière de s'exprimer de Tertullien,
qui a une prédilection pour les images concrètes. — **sacerdotes mei... nubent.** Comme le remarque Le Saint, aucun

verset du *Lévitique* ne correspond à cette « citation » de Tertullien. En 21, 7, on lit seulement que les prêtres ne peuvent pas épouser de prostituées et de divorcées, et en 21, 13, on lit que le grand prêtre doit prendre comme épouse une vierge, mais non une veuve, une divorcée ou une femme qui s'est déshonorée ou prostituée... Le mariage est considéré comme renouvelé, *ratione uxoris* (c'est-à-dire en ce qui concerne la femme) au cas où ces règles ne seraient pas observées, et c'est probablement ce que pense Tertullien (cf. Introduction, p. 31). — **non plus.** Avec le sens de « pas plus d'une fois » ne me semble pas attesté ailleurs : peut-être est-ce une expression parallèle à *non amplius*, utilisé de manière absolue, sans comparatif, et qui est d'un emploi régulier. — **quod non unum est.** Même raisonnement que dans *Marc.* I, 5, 2 et *Mon.* 11, 3.

7, 2. legis plenitudo. Paraphrase de *Matth.* 5, 17 (« non ueni [legem] soluere sed adimplere »), où *plenitudo* est un terme abstrait qui ne rend pas clairement *legem implere*. — **apud nos.** Fréquemment, cette expression sert à indiquer les montanistes, dont fait désormais partie Tertullien, pour les distinguer des catholiques (cf. P. de Labriolle, *La crise montaniste*, Paris 1913, p. 356-358) ; dans ce passage cependant, il peut aussi désigner simplement les chrétiens. — **instructius** de l'*Agobardinus* est garanti par *Apol.* 45, 3 : « quid instructius, iniuriam non permittere, an nec uicem iniuriae sinere ? » — **praescribitur.** Terme de couleur juridique, cette fois encore. — **qui alleguntur** de Rigault me semble la leçon exacte. Au § 6, on lit avec *A* : « nisi et laici ea obseruent per quae presbyteri alleguntur » (*allegantur* : *Corpus Cluniacense*) ; *qui allegantur*, proposé par Kroymann et confirmé par *qui allegant* de *A*, peut convenir également mais le passage parallèle du § 6 nous fait pencher pour cette autre correction. L'affirmation de Tertullien sera réutilisée par Jérôme, *Epist.* 123, 5. — **in ordinem sacerdotalem.**

Tertullien se réfère à deux passages de saint Paul apparemment divergents : dans *Tite* 1, 6, cette règle est exigée pour les prêtres, tandis que dans *I Tim.* 3, 2, elle concerne les évêques. Tertullien semble la comprendre comme concernant les évêques dans *Vx.* I, 7, 4 (« ...cum digamos non sinit praesidere ») et dans *Mon.* 12, 3 (« quot enim et digami praesident apud uos, insultantes utique apostolo ? »), mais Le Saint remarque que le « prêtre » ne peut être distingué de l'évêque ; ils participent au même pouvoir sacerdotal, simplement l'évêque est le *summus sacerdos.* — **ceteris licet.** Cf. un raisonnement analogue dans *Orat.* 22, 2 : « qui enim (c'est toujours l'Apôtre) alibi distinguere meminit, ubi scilicet differentia postulat (distinguit autem utramque speciem suis uocabulis designans), ubi non distinguit, dum utramque non nominat, nullam uult differentiam intelligi ». Donc le raisonnement qui est rejeté dans le *De exhortatione castitatis* était proposé par Tertullien lui-même dans le *De oratione.* Cette contradiction a sans doute été imposée par la nécessité de la polémique.

7, 3. nonne et laici sacerdotes sumus ? L'un des principaux textes sur lesquels se fondent ceux qui — et nous avec eux — ne croient pas à la prêtrise de Tertullien, contrairement à ce qu'affirmait Jérôme dans *Viris ill.*, 53 devenu la *communis opinio.* Contre cette « opinion commune », cf. H. Koch, « War Tertullian Priester ? », *Hist. Jahrb.*, 28 (1907), p. 95-103 ; « Nochmals : war Tertullian Priester ? », *Theol. Studien und Krit.* 103 (1931), p. 108-114. Mise en doute récente de la notice hiéronymienne par T.D. Barnes, *Tertullian. A Historical and Literary Study*, Oxford 1971, p. 11. — **et honor... sanctificatus :** texte incertain, interprétation exacte délicate. A. d'Alès, *La théologie de Tertullien*, p. 493, traduit : « Entre clercs et laïques, la différence est constituée par l'investiture de l'Église, qui honore les uns d'une préséance. Où il n'y a plus ni assemblée ni préséance, ... » ; G. Bardy, « Le sacerdoce chrétien d'après Tertullien »,

VS 58, 1939, p. 121 : « Ce qui établit la différence entre le clergé et le peuple, c'est l'autorité de l'Église, c'est l'honneur qui sanctifie l'organisation du clergé. Si bien que, là où cette organisation de l'ordre sacerdotal fait défaut, ... » ; W.P. Le Saint, *Tertullian, Treatises on Marriage...*, p. 53 : « It is ecclesiastical authority which distinguishes clergy and laity, this and the dignity which sets a man apart by reason of membership in the hierarchy. Hence, where there is no such hierarchy... » ; P. van Beneden, « Ordo. Ueber den Ursprung einer kirchlichen Terminologie », *VChr* 23, 1969, p. 170 : « Der Unterschied zwischen Stand und Volk beruht auf einem Beschluss der Gemeinde und der Heiligung des Amtes durch Gott und die Vermittlung des zusammengetreten (kirchlichen) Standes. Wo es keine Versammlung des kirchlichen Standes gibt, ... » ; R. Gryson, *Les origines du célibat ecclésiastique*, Gembloux 1970, p. 27 : « La différence entre l'« ordre » et le peuple résulte d'une décision de l'Église et de la charge que Dieu sanctifie par l'intermédiaire de l'« ordre » rassemblé. Là où ne siège pas d'« ordre » ecclésiastique,... ». Sur le sens premier de *consessus* (= *sedes*), cf. E. Dekkers, *Tertullianus en de geschiedenis der Liturgie*, p. 77 (place réservée au clergé dans les réunions liturgiques). Mais s'il convient sans doute de comprendre le mot en ce sens dans *per ordinis consessum*, Tertullien paraît lui donner sa valeur dérivée (= *concilium*) dans *ecclesiastici ordinis... consessus* (cf. L.I. Scipioni, *Vescovo e popolo. L'esercizio dell' autorità nella chiesa primitiva (III secolo)*, Milano 1977, p. 39). Glissement comparable (mais dans l'ordre inverse) du sens dérivé au sens premier, à quelques lignes d'intervalle, en *Spec.* 3, 4 et 6. [J.-C. F.]. — **Adeo.** Equivaut à *ideo*, comme le remarque Hoppe (*Beiträge, o.c.*, p. 114-115), qui cite d'autres exemples (*Apol.* 1, 9 : « adeo praeiudicant id esse » ; 23, 10 : « adeo nulla est diuinitas ista »). — **ecclesiastici ordinis non est consessus :** c'est-à-dire, quand il n'y a pas de presbyterium (cf. A. Vilela, *La condition collégiale des prêtres au*

III siècle, Paris 1971, p. 230) [J.-C. F.]. — **offers.** Terme technique pour indiquer le sacrifice de la messe et de l'eucharistie (cf. A. Blaise, *Le vocabulaire latin des principaux thèmes liturgiques*, Turnhout 1966, p. 390-392). L'expression *sacerdos es tibi solus* a été reprise, bien que dans un contexte conceptuel très différent, par Jérôme, *Adu. Heluid.*, 1, *PL* 23, 183 A. — **tinguis.** Le verbe indique le baptême comme on l'a vu plus haut (1, 4). — **ubi tres ecclesia est, licet laici.** Formule célèbre qui a été plusieurs fois employée par Tertullien : cf. *Bapt.* 6, 2 (« ubi tres, id est pater et filius et spiritus sanctus, ibi ecclesia, quae trium corpus est »). Le sacerdoce des laïcs a été professé par Tertullien lui-même dans *Orat.* 28, 3 : « nos sumus ueri adoratores et ueri sacerdotes, qui spiritu orantes spiritu sacrificamus orationem hostiam dei propriam et acceptabilem... » ; *Mon.* 7, 9 : « certe sacerdotes sumus a Christo uocati... » ; 12, 2 : « tunc omnes sacerdotes, quia sacerdotes nos Deo et Patri fecit ». Cette formule a été soumise récemment à un examen approfondi de C. Andresen, « Ubi tres, ecclesia est, licet laici. Kirchengeschichtliche Reflexionen zu einem Satz des Montanisten Tertullian », *Von Amt des Laien in Kirche und Theologie* (*Festschrift G. Krause*), Berlin-New-York 1982, p. 103-121. Celui-ci a recherché et éclairé l'origine de cette formule (tirée de *Matth.* 18, 20), en soulignant toutefois que si la formule néotestamentaire comporte une alternative (*ubi enim duo uel tres...*), l'expression de Tertullien présente un aspect fixe. Une telle précision s'imposera par la suite, alors que la formule néotestamentaire sera employée dans le domaine de la discipline. Chez Tertullien, la formule est normalement référée à la Trinité, cf. *Bapt.* 6, 1-2 : « ...ita et angelus baptismi arbiter superuenturo Spiritui sancto uias dirigit abolitione delictorum quam fides impetrat obsignata in Patre et Filio et Spiritu Sancto. Nam si in tribus testibus stabit omne uerbum dei, quanto magis donum ? » ; *Pud.* 21, 16 : « Nam et ipsa ecclesia proprie et principaliter ipse est Spiritus, in quo est trinitas unius diuinitatis, Pater et

Filius et Spiritus Sanctus. Illam ecclesiam congregat quam
Dominus in tribus posuit » ; *Fug.* 14, 1 : « non potes discur-
rere per singulos, si tibi est in tribus ecclesia ? » Quoi qu'il en
soit, on ne peut accepter l'interprétation juridique et non pas
théologique qu'Andresen propose pour cette expression (cf.
REAug. 29, 1983, p. 329).

7, 5. nulla necessitas excusatur. Cette *sententia* qui a pour
but de souligner le caractère volontaire du péché, est chère à
Tertullien (cf. *Cor.* 11, 6 : « non admittit status fidei adlega-
tionem necessitatis. Nulla est necessitas delinquendi quibus
una est necessitas non delinquendi »). — **et non committis in.**
Committere a ici le même sens que *incurrere*, comme l'a
observé Thörnell, *Studia Tertullianea*, II, p. 24.

7, 6. sacramentis... obeundis. Dans ce contexte, *sacramentum* a la signification du français « sacrement » (cf. J. de
Ghellinck, *o.c.*, p. 108). — **unus deus.** Cf. *Mon.* 1, 2 : « unum
matrimonium nouimus sicut unum deum. » — **pugnare debemus.** Le texte ne me semble pas correct et aucune interprétation n'est convaincante. *Pugnare* devrait équivaloir à
contendere, selon Hoppe (*Syntax*, p. 52), ‘insist’ (comme
traduit Le Saint), mais ce sens ne me semble pas possible
(normalement *pugnare* = « lutter ». Et si tel était le sens,
iussum serait superflu). — **quam laicus... fuerit.** Construction
typiquement tertullianéenne, comme l'a noté Löfstedt (*Zur
Sprache Tertullians*, Lund 1920, p. 35-36), pour *quam qui
laicus... fuerit.* Aussi, la correction proposée par Rhenanus
est-elle inutile : « dum presbyter esse non alius potest quam
qui laicus semel fuerit maritus ».

CHAPITRE VIII

Ce qui est permis n'est pas nécessairement bon, parce que le bien n'attend pas qu'on l'autorise, mais qu'on le prenne (c'est-à-dire qu'il est καθ'ἑαυτὸ αἱρετόν) : c'est exactement le cas du second mariage, qui est permis seulement en considération de motifs étrangers à sa nature intrinsèque. Mais il est logique que l'on doive rechercher ce qui est bon, non ce qui est permis : la *licentia* et le *bonum* sont inconciliables entre eux. « La *licentia*, en effet, a été donnée pour que tu utilises ton libre arbitre, en choisissant la soumission à la loi de Dieu » : « nisi licentia alicuius non bonae rei subiaceret, non esset in quo probaretur quis diuinae uoluntati et quis potestati suae obsequeretur ». De ce motif polémique, on peut également rapprocher certaines considérations qu'on lit dans *Marc.* I, 29, 6 : « quis denique abstinens dicetur sublato eo, a quo abstinendum est ? » ; II, 6, 7 : « ceterum nec boni nec mali merces iure pensaretur ei, qui aut bonus aut malus neeessitate fuisset inuentus, non uoluntate ». Micaelli, *o.c.*, p. 76 renvoie à un passage d'Aulu-Gelle (*Noct. Att.* VII, 1 = *SVF* II, 1169) extrait du traité : *Sur la providence*, de Chrysippe où l'on soutient la nécessité de l'existence du mal pour comprendre le bien.

8, 1. quod non prodest... bonum potest dici ? Cf. *Vx.* I, 3, 5 : « porro plene bonum hoc antecedit, quod non modo non obest, sed insuper prodest ». J.-C. Fredouille (*o.c.*, p. 105) cite à titre de comparaison un passage de Cicéron (*Off.* III, 4,

20) : « quibus (stoicis) quicquid honestum est idem utile uidetur nec utile quicquam quod non honestum » : la pensée dérive donc du stoïcisme, peut-être par l'intermédiaire de Cicéron lui-même. — **de bono non dicitur « licet ».** Cf. *Vx.* I, 3, 4-5 et *Mon.* 3, 3 (« quod enim mere bonum est non permittitur sed ultro licet »). — **licentiam.** Est utilisé pour le jeu étymologique avec *licet* (cf. aussi le § 3), mais conserve toujours la connotation négative, qui est la plus répandue dans la signification du terme. — **permitti... exspectat.** D'autres exemples de l'usage de l'infinitif avec *exspecto* se trouvent chez Tertullien (*Res.* 18, 5 et 45, 3 ; *Marc.* V, 2, 2). Le procédé arbitraire de Tertullien consiste à identifier les secondes noces avec ce qui est permis sans être bon : cette identification faite, il peut lui-même ajouter que les secondes noces sont permises seulement *propter incontinentiae periculum*.

8, 2. subiaceret. C'est un grécisme hardi (ὑπόκειται), typique de Tertullien, comme l'a noté Hoppe (*Syntax*, p. 48) qui cite aussi *Apol.* 15, 8 : « iam quidem intelligi subiacet ueritatis esse cultores qui mendacii non sint... » — **diuinae uoluntati... potestati suae.** Chiasme repris de « utilitatis praesentiam... occasionem licentiae ». J'ai l'impression que *potestati*, un peu inattendu ici, a été choisi pour l'assonance avec *uoluntati*, qui n'aurait pas été obtenue avec le terme technique plus pertinent *arbitrio*. *Vtilitatis praesentia* est un abstrait construit à l'imitation de l'abstrait *occasionem licentiae* : cela devrait signifier : « illud utile, quod praesens sit, quod ad manus sit » (d'autres, comme Rigault et Le Saint, ont préféré corriger en *utilitatis praestantia*). Pour conclure ce texte rhétorique complexe, Tertullien recourt encore à l'assonance *sectetur... amplexetur*.

8, 3. disciplina... operatur. Nouvelle assonance obtenue à l'intérieur d'un parallélisme parfait. C'est le même procédé

que l'on retrouve dans la phrase suivante : « dum temptatur
cui permittitur et iudicatur dum in permissione temptatur ». — **uxores circumducere.** Cf. également *Mon.* 8, 6, où
Tertullien lui-même corrige ce qu'il a affirmé ici, et précise
que ἀδελφὴν γυναῖκα ne désigne pas les épouses mais des
femmes. Selon Le Saint, la tradition et le contexte de *I Cor.*
9, 5 semblent exclure l'opinion selon laquelle saint Paul parle ici
d'une épouse, encore qu'il n'y ait aucune difficulté à admettre
qu'il pouvait en avoir une s'il l'avait voulu. Saint Paul semblerait plutôt faire allusion à ces femmes chrétiennes qui accompa-
gnaient les apôtres avec une activité de ministère, à l'exemple
de celles qui sont évoquées dans *Matth.* 27, 55 et *Lc*
8, 1-3. Mais C. Rambaux s'oppose vigoureusement à cette
interprétation (*REAug.* 23, 1977, p. 38-39), et il estime que
l'Apôtre pense effectivement à la possibilité d'avoir avec soi
une épouse. — **in occasionem :** les manuscrits ont unanime-
ment *occasionem.* On peut sans doute maintenir cette leçon
comme exemple d'*accusatiuus pro ablatiuo,* cf. Bulhart (*CSEL*
76, p. xxxi), qui cite *Mon.* 7, 2 : « idque saepius euenire
in unam personam potest » ; cf. aussi *Mart.* 1, 1 : « uobis... in
carcerem subministrant ».

CHAPITRE IX

Tout bien considéré, il n'y a pas tellement de différence entre le mariage et la luxure (*stuprum*), car le mariage ne peut se réaliser que par le *stuprum* (§ 1-2). La *commixtio carnis* est présente dans le mariage comme dans l'adultère (§ 3). Voilà pourquoi la virginité est un bien beaucoup plus précieux que le mariage (§ 4). Contentons-nous, à tout le moins, de la monogamie, si nous ne pouvons pas renoncer au mariage ! (§ 4-5).

Ce sont des paroles d'une exagération polémique évidente, mais qui cependant, dans leur excès même, révèlent cette très vive aspiration à l'ascèse qui était typique des premiers siècles du christianisme et de certains courants philosophiques païens (néoplatonisme et néopythagorisme). Sur ce climat spirituel Ch. Munier donne une assez bonne information dans son Introduction à l'*Ad Vxorem*, *SC* 273, p. 15-34.

9, 1. secundum matrimonium. Ici Tertullien reprend la fameuse définition d'Athénagore, *Suppl.* 33 : « Les secondes noces sont en effet un adultère décent ». La suppression de *secundum* opérée par Kroymann est-elle justifiée ? Quoique cette suppression soit apparemment étayée par ce que dit Tertullien peu après, où le mariage tout court est assimilé au *stuprum*, dans ce passage-ci Tertullien parle effectivement du second mariage, non du premier, en conformité avec ce qu'il avait dit jusque-là. Pour justifier son affirmation, il recourt ensuite (mais seulement ensuite) à l'identification du mariage comme tel au *stuprum*, pour en tirer a fortiori la conséquence qu'il en est de même pour le second mariage. L'écrivain parle à nouveau du second mariage, après la digression sur le premier, au § 4 : « et cum haec etiam de primis et unis nuptiis praetendi ad causam continentiae possint, quanto magis secundo matrimonio recusando praeiudicabunt ? » — **sibi.** A valeur de pronom réciproque et non de réfléchi. Cf. A. Szantyr, *Syntax,* p. 176. La période est quelque peu surchargée de prépositions. Kroymann a cherché à la clarifier en proposant *non < autem > utique,* parallèle à *de forma autem.* — **de cultu et ornatu.** Syntagme typique de la manière de Tertullien, dont le sens est énoncé dans *Cult.* I, 4, 1 : « habitus feminae duplicem speciem circumfert, cultum et ornatum. Cultum dicimus quem mundum muliebrem uocant, ornatum quem immundum muliebrem conuenit dici ». L'explication, selon M. Turcan (Tertullien, *La toilette des femmes, SC* 173, p. 28), devrait être celle-ci : « Les bijoux et le vêtement (*cultus*) constituent ce que nous appelons la « parure », les soins cutanés et capillaires (*ornatus*), les soins de beauté ». Dans le *De cultu feminarum,* Tertullien avait gardé l'équilibre en précisant : « non supergrediendum ultra quam quod simplices et sufficientes munditiae concupiscunt, ultra quam deo placere » (II, 5, 1) ; ici, il n'y a plus aucune justification possible. Cf. aussi Ch. Munier, *o.c.,* p. 165. — **de forma... placere.** La préposition *de* a ici une valeur instrumentale, comme souvent chez Tertullien (cf. à ce propos Hoppe, *Syntax,* p. 34). La référence à ce passage de saint Paul se trouve aussi dans *Mon.* 3, 3, mais appliquée à une autre série d'arguments. — **ingenium.** A le sens de « idée ingénieuse » comme dans *Spect.* 10, 12 et *Cult.* II, 5, 3, etc.

9, 2. stuprauit. Le grec ἐμοίχευσεν de *Matth.* 5, 28 est rendu seulement ici et dans le passage correspondant de *Cult.* II, 2, 4 par *stuprare* ; ailleurs (*Paen.* 3, 13 ; *Res.* 15, 4 ; *An.*

15, 4 ; 40, 4 ; 58, 6) Tertullien utilise *adulterare* ; dans le *De pudicitia* il emploie *moechari* presque de façon constante. Or il semble que pour traduire *Matth.* 5, 27, 28, 32, la *Vetus Latina* emploie *moechia* et *moechari*, et parfois *adulterare*, mais jamais *stuprare*. Cela signifierait, selon T.P. O'Malley (*Tertullian and the Bible. Language-Imagery-Exegesis*, Nijmegen-Utrecht 1967, p. 20-25), que dans le *De pudicitia*, Tertullien, contrairement à son habitude, ait appliqué un type de traduction qu'il ne suit pas d'ordinaire ; il agirait ainsi pour se conformer au texte suivi par ses adversaires et par ceux qui soutiennent l'Évêque Agrippinus et son édit (cf. *Pud.* 1, 6 : « ego et moechiae et fornicationis delicta paenitentia functis dimitto »). – **qui autem... uiderit...** Il n'y a aucun doute que c'est là une application tendancieuse des paroles de *Matth.* 5, 28 : le *stuprum* et le mariage sont mis sur le même plan, ce qui est le but visé par Tertullien dans ce chapitre, mais ce n'est certainement pas le sens des paroles de l'Évangile.

9, 3. multum sane... per quod et adultera. Le texte est, selon les apparences, assez confus, mais son obscurité dépend probablement des tentatives de Tertullien pour avoir raison à tout prix en défendant une thèse insoutenable, comme celle de l'identité du mariage et de la fornication ; chaque femme, qu'elle soit épouse ou étrangère, étant pour l'homme, *alia* (au sens de *aliena*). De toute façon, il n'est pas nécessaire de corriger le texte comme l'a proposé, par exemple, Kroymann ; je l'interprète, en accord avec les précieuses suggestions que je dois à mon collègue P. Petitmengin, de la manière suivante : Tertullien, pour faire face à l'objection des « psychiques » et des personnes de bon sens, selon laquelle ce n'est pas la même chose d'être mari ou *caelebs*, soutient que, au contraire, tous les deux sont dans la même situation parce que tous les deux désirent une *alia*. En fait, toute femme non mariée est *alia*, soit pour un mari (qui a sa femme), soit, c'est évident, pour un célibataire, car cette femme est *aliena* aussi bien pour l'un que pour l'autre. L'objection du « psychique » est alors que si elle est devenue *non aliena*, c'est-à-dire mariée, alors le célibataire qui l'épouse ne commet plus de péché. Mais si ! rétorque Tertullien, parce que, pour l'épouser le célibataire réalise la même union de la chair que lorsqu'il commet l'adultère. La phrase : *multum... concupiscat* ! devrait donc contenir une objection de Tertullien lui-même, sur un ton ironique. — **Leges... differentiam facere.** Ici Tertullien semble contredire ce qu'il affirme dans *Marc.* V, 15, 3 et *An.* 27, 4 où la différence entre mariage et *stuprum* est bien marquée. Mais tout le passage est conduit avec des intentions polémiques évidentes (peu après, du reste, le mariage est explicitement assimilé à l'adultère) et ne doit pas être considéré autrement que comme la manifestation d'un état d'âme momentané.

9, 4. Ergo, inquit. Ellipse de *aliquis*, comme on l'observe fréquemment dans le style diatribique. Cf. Hoppe, *Syntax*, p. 105, n. 2. — **sanctitas.** Comme on l'a déjà vu plus haut (1, 3-4), le terme a l'acception particulière de *continentia*. — **modestia a modo intelligitur.** Définition de caractère scolastique, déjà dans Cic. (cf. *Off.* I, 40, 142), et qu'on lit dans Ambr., *Off.* I, 18, 78 ; Non., p. 30, 1 ; Fest., p. 155, 26. Il est probable que sous la plume de Tertullien, elle remonte à Cicéron. Cf. ce que l'on a dit plus haut sur l'usage rhétorique de ces définitions.

9, 5. immaculatae. Adjectif d'un usage quasi exclusivement chrétien ; unique exception (comme on le déduit de l'article du *TLL*) Lucain, II, 736 (où il paraît être un néologisme spontané) et Amm. Marc. XIX, 12, 9. L'image du *primus gradus uirginitatis* sera reprise par Jérôme, *Epist.* 123.

10. — **statione.** N'a pas ici la signification propre de l'antique liturgie chrétienne (sur laquelle on lira, entre autres, Ch. Mohrmann, *Études,* III, p. 307-330), mais signifie simplement : « dans la deuxième phase », comme l'observe Chr. Mohrmann elle-même (*ibidem*, p. 313, n. 8). — **retractauit.** Sur la signification de *retractare*, voir *supra*, 3, 7. Le Professeur Petitmengin cependant, propose de maintenir l'acception usuelle de *retractare* (« hésiter ») et de suivre le texte de l'*Agobardinus* (*reuocandis*), avec le sens suivant : « Dieu qui a hésité à interdire les secondes noces aurait, avec cette permission, justifié les troisièmes et les quatrièmes noces » (paroles mises dans la bouche du psychique). Mais selon Tertullien, la volonté de Dieu aurait été évidente et nette dès le commencement. — **tamquam Sodoma et Gomorra.** Nouvelles séries d'interprétations arbitraires des textes sacrés : la faute de Sodome et Gomorrhe ne fut certainement pas le mariage ; les deux villes sont, c'est vrai, citées par le Christ (*Lc* 17, 26-29), mais dans cette évocation, comme le remarque C. Rambaux (« La composition et l'exégèse », *REAug.* 22, 1976, p. 20-21), on ne parle pas de mariage : le « *uae* » du Christ, adréssé aux femmes enceintes, n'a pas pour but de détourner du mariage. Ce passage de *Lc* 17, 26-29 se trouve encore dans *Vx.* I, 5, 2-3 et *Mon.* 16, 4. Rappeler l'exemple de Sodome et de Gomorrhe pour les incontinents qui ont contracté des secondes noces fera la joie de Jérôme, *Epist.* 123, 12. — **finis nubendi... finem uiuendi.** L'assonance renforce la *sententia*.

CHAPITRE X

Bienfaits spirituels du veuvage.

10, 1. carnalibus... spiritalia. L'opposition est typique de la spiritualité chrétienne, dans laquelle les termes utilisés prennent un sens nouveau. Mais selon Tibiletti, (« Verginità e matrimonio », p. 76) et C. Rambaux (*Tertullien face aux morales*, p. 214, n. 794), l'opposition entre les deux ordres de valeur est limitée, ici, au domaine de la sexualité (continence et mariage). — **fructificemus.** Ce n'est pas un néologisme « chrétien », parce qu'on peut le lire à l'occasion dans Columelle (II, 10, 28 ; 11, 2 ; XI, 2, 60), ou Pline l'Ancien (XII, 112 ; XIII, 29 ; XIX, 121 ; 166) ; dans tous ces passages, toutefois, la lecture *fructificare* alterne avec *fruticare* (ailleurs, cf. *TLL*) ; ce néologisme avait eu cependant une vaste diffusion près des auteurs chrétiens, conformément aux tendances de la langue à créer de nouveaux composés en *-ficus* et *-ficare* (cf. Ch. Mohrmann, *o.c.*, I, p. 60 et 92). — **occasionem... non habere.** Observer la construction avec l'infinitif substitué au gérondif (*habendi*) comme dans *Val.* 21, 1 : « de... invalitudine spiritalia accedere », et la note de J.-C. Fredouille, *SC* 281, p. 305. — **substantiam.** Avec une signification concrète, sans aucun lien avec l'acception théologique ou avec l'abstrait οὐσία (cf. sur ce mot, R. Braun, *Deus Christianorum*, Paris 1977², p. 167 s ; Moingt, *o.c.*, IV, p. 220-221).

10, 2. quam alium se homo sentiat. Tour de phrase familier, cf. l'italien : « come si sente un altro ». — **spiritaliter sapit.** Sur l'usage de *sapio*, voir plus haut chap. 3, 1. D'autre part, sur cette expression, cf. « Chron. Tert. 1983 », n° 26, *REAug.* 29 (1983), p. 322-323 [J.-C. F.]. — **orationem facit ad dominum.** Autre expression familière (= *orare*) comme dans *Orat.* 15, 2 ; en revanche, sont plus recherchées les expressions *orationem sacrificare* (*Orat.* 28, 3) ; *orationem obire* (*Orat.* 13, 1). Le même ton familier se rencontre peu après : « si scripturis incumbit, totus illic est » (cf. Hor., *Sat.* I, 9, 2 : *totus in illis*). — **si daemonem adiurat.** Allusion à la pratique, fréquemment appliquée dans le christianisme primitif, de l'exorcisme. Autre exemple dans *Apol.* 23, 16 : « ita de contactu deque afflatu nostro, contemplatione et repraesentatione ignis illius correpti etiam de corporibus nostro imperio excedunt inuiti et dolentes et uobis praesentibus erubescentes ». Ce passage de l'*Apologeticum* signale quelques-uns des moyens auxquels l'exorciste chrétien avait recours pour chasser le démon du possédé : soit au moyen de l'imposition des mains, soit au moyen du souffle ; ce dernier moyen est également indiqué dans *Vx.* II, 5, 3 et *Idol.* 11, 7 (cf. la note de Ch. Munier dans *Vx.*). Notre passage n'indique cependant explicitement aucun des deux moyens d'exorcisme, mais il donne à entendre l'obligation qu'ont les démons d'abandonner le possédé, quand l'exorciste prononce le nom du Christ (comme on le lit dans *Apol.* 23, 15). Également très général est le passage de Minuc., *Oct.* 27, 7 : « adiurati daemones per Deum uerum et solum », imité de celui-ci. Dans cet ordre de signification *adiuro* est devenu un verbe technique exclusivement chrétien et un tel sens a permis une plus ample diffusion du verbe lui-même, employé assez fréquemment par Plaute, mais quasi jamais à l'époque classique. Sur la pratique de l'exorcisme dans l'antiquité classique, cf. l'art. « Exorzismus » de K. Thraede, dans *RLAC.* — **omni momento... necessaria est.** Dans *Orat.* 25, 1, d'une manière plus équilibrée parce qu'exempte de toute intention polémique, Tertullien avait fixé certaines heures de la journée comme nécessaires à la prière (« quae diei interspatia signant, tertia, sexta, nona »), et dans le chapitre 24, il avait indiqué un précepte général : « de temporibus orationis nihil omnino praescriptum est, nisi plane omni in tempore et loco orare ». L'interprétation abusive proposée ici de la pensée de saint Paul (grâce à la continence périodique, on arrive à la continence totale, qui est nécessaire pour prier avec assiduité) est reprise par Jérôme, *Iouin.* I, 7, *PL* 23, 220 A. Comme on l'a déjà vu plus haut (3, 4), ce serait un raisonnement *a minore ad maius* qui, selon Cl. Aziza, (*Tertullien et le Judaïsme, o.c.*, p. 213) serait d'origine rabbinique. Mais c'est encore un exemple douteux.

10, 3. Oratio de conscientia procedit. Cf. ce qui avait été observé plus haut (1, 1) à propos de la valeur nouvelle que le christianisme avait attribuée à la *conscientia*, dont l'importance est vraiment fondamentale dans le cadre de la prière. — **spiritus deducit orationem ad deum.** Ici, le terme *spiritus* pourrait conserver le sens originaire de « souffle », comme le pense Le Saint : c'est-à-dire le son de la voix qui prononce la prière parvient jusqu'à Dieu. Cependant, ce que remarque P. de Labriolle (*La crise montaniste*, Paris 1913, p. 80), paraît plus convaincant : ici le *spiritus* ne serait pas autre chose que l'esprit humain — et non pas le souffle — c'est-à-dire (c'est nous qui l'ajoutons) quelque chose de substantiellement non différent de l'âme, dont le *spiritus* est une fonction, comme Tertullien lui-même le souligne à plusieurs reprises dans le *De anima*. Parmi les attestations de ce sens chez Tertullien, acceptées par P. de Labriolle, citons seulement *Apol.*, 30, 5 : ...orationem de carne pudica, de anima innocenti, de spiritu sancto profectam... » ; *Orat.* 12 : « orationis intentio de tali spiritu emissa qualis est spiritus ad quem emittitur ». L'esprit de l'orante « porte » donc à Dieu la prière. La phrase, de toute façon, semble très compliquée et traduit la difficulté d'expliquer comment une prière pure est incompatible avec une conscience impure ; la personnification du *spiritus* humain lui-même est, sur le plan littéraire, totalement manquée. — **suffunditur.** Acception propre à Tertullien (« rougit »), cf. Hoppe, *Syntax*, p. 139.

10, 5. dicit quod... sit. Le syntagme *dico quod est*, certainement familier, est déjà bien attesté à l'âge classique dans des contextes en langue populaire (cf. Leumann, Hofmann, Szantyr, *Syntax*, p. 576) ; pour Tertullien cf. Hoppe, *Syntax*, p. 75. Quant à l'usage du mode après *dico quod*, le latin hésite entre l'indicatif et le subjonctif, sans que l'on ait encore pu établir une règle précise (cf. Leumann, Hofmann, Szantyr, *Syntax*, p. 577-578). Le subjonctif apparaît encore peu après : *euangelizatur... quod nouerit.* — **prophetidem.** Le féminin est beaucoup plus rare que le masculin, ce qui est encore une conséquence de la prescription chrétienne bien connue qui réservait aux hommes certaines prérogatives à l'intérieur de l'Église : cf. *I Cor.* 14, 34-35 ; en outre, la forme grécisante *prophetis* est plus fréquente que la forme latine *prophetissa* ; chez Tertullien, elle s'applique à la prophétesse montaniste (cf. également *Res.* 11, 2 : *prophetis Prisca*). — **euangelizatur.** Le terme est de grand poids et montre l'importance que Tertullien attribuait aux oracles montanistes : l'oracle de la prophétesse est mis sur le même plan que l'enseignement des apôtres (P. de Labriolle, *La crise montaniste*, Paris 1913, p. 81-82). — **quod sanctus minister... ministrare.** Ces paroles n'appartiennent pas à l'oracle de Prisca, selon P. de Labriolle (*o.c.*, p. 82-83), mais à Tertullien lui-même, qui répéterait l'idée exprimée un peu avant, c'est-à-dire que pour administrer les choses saintes, un ministre saint est nécessaire. Quoiqu'il en soit, ces paroles sont explicitement attribuées à l'enseignement (sinon à l'oracle) de

Prisca et comme telles éliminées avec l'oracle proprement dit des manuscrits du *Corpus Cluniacense*. Du reste, le terme *sanctimonia*, rare, mais classique, est probablement dû à Tertullien lui-même, qui a donné, ici, une forme littéraire à l'enseignement de la prophétesse. — **Purificantia enim concordat.** Ce seraient là des paroles de la prophétesse. Je n'exclurais pas cependant que Tertullien lui-même les ait traduites en latin Prisca ayant parlé en grec, comme le laisserait penser peut-être la corrélation, caractéristique de Tertullien, *tam... quam et* etc. Quoiqu'il en soit, la paraphrase latine reproduit le niveau stylistique de la phrase populaire (notons *purificantia* ; *concordare*, post-classique, avec sens transitif ; le jeu étymologique *uisiones uident* ; la périphrase *ponentes... deorsum* au lieu de *demittentes*, plus précis). Que signifie *purificantia concordat* ? Nous suivons l'interprétation de P. de Labriolle (*o.c.*, p. 83) selon laquelle Tertullien exprime une règle générale sur la valeur et sur le prix de la pureté de l'esprit (*purificantia* est donc un nominatif singulier sujet de *concordat* ; de toute façon, c'est un hapax : (A. Demmel, *Die Neubildungen auf -antia und -entia bei Tertullian...* Immensee 1944, p. 103-105). Peut-être, avec ce néologisme, Tertullien voulait-il distinguer le style de l'oracle de Prisca de la langue usuelle commune (*purificatio*). *Concordat* signifierait « mettre d'accord », contrairement à l'interprétation de Probst, l'auteur de l'article du *TLL*, pour qui *concordat* a un sens impersonnel comme synonyme de *convenit* (mais le sens ne serait pas clair : il devrait être « avec la pureté on est d'accord » ? ou bien « la pureté convient ? »). P. de Labriolle propose donc : « la pureté (surtout dans le domaine sexuel) fait régner l'harmonie (dans l'âme de ceux qui veulent prier) ». Une telle traduction est en accord avec ce qui précède et avec l'esprit de tout le raisonnement. — **uisiones uident.** C'est peut-être une réminiscence de *Joël* 3, 1. — **ponentes faciem deorsum.** Indique l'attitude de recueillement et de prière, que Tertullien lui-même décrit ailleurs

(*Orat.* 17, 1 : « ...ne uultu quidem in audaciam erecto »), comme l'observe P. de Labriolle, *o.c.,* p. 84, qui attire notre attention aussi sur le fait que ce passage rappelle, dans la reconstruction d'une atmosphère extatique et prophétique, Hermas, *Vis.* I, III, 3 : « J'ai entendu de grandes et merveilleuses choses que je n'eus pas la force de garder à l'esprit : toutes ces paroles en effet sont effrayantes, et l'homme n'est pas en mesure de les supporter ». On peut trouver une traduction de cet oracle dans une autre étude de P. de Labriolle, *Les sources de l'histoire du montanisme,* Fribourg-Paris 1913 (Source n. 15).

10, 6. obtusio. Signifie « spiritual insensibility » (Le Saint), comme dans *Marc.* III, 6, 6 : « hanc enim obtusionem salutarium sensuum meruerant (c'est-à-dire les Juifs), labiis diligentes deum, corde autem longe absistentes ab eo » ; dans *Res.* 57, 3, au contraire, *obtusio* est employé dans un sens concret, « émoussement ». *Obtusio* est une correction de Semler et Kroymann, mais il n'est pas sûr qu'elles doivent équivaloir à *suffusio,* « honte ». — Notre traduction repose sur la leçon *obfusio* : cette conjecture paraît en effet parfaitement accordée au contexte (cf. *supra,* 10, 3 : *erubescat, erubescit, erubescentis, erubescente, suffunditur* ; *infra,* 11, 1 : *rubor*) [J.-C. F.]. — **res carnis.** Périphrase pour indiquer les rapports dans le mariage.

CHAPITRE XI

Quelle honte pour le mari de partager ses propres sentiments entre deux femmes, la première étant décédée et la
seconde en vie ! Cf. aussi *Mon.* 10, 2 s. C'est là un des
passages qui a été allégué pour démontrer que Tertullien
croyait à l'existence du purgatoire après la mort. D'autres
sont encore plus explicites : *An.* 58, 2-3 ; 58, 8 (« in
summa cum carcerem illum, quem euangelium demons-
trat [= *Matth.* 5, 26] inferos intellegimus et nouissimum
quadrantem modicum quoque delictum mora resurrectionis illic luendum interpretamur, nemo dubitabit animam
aliquid pensare penes inferos salua resurrectionis plenitudine per carnem quoque ») ; 35, 3 (« ne... iudex te tradat
angelo exsecutionis, et ille te in carcerem mandet infer-
num, unde non dimittaris nisi modico quoque delicto
mora resurrectionis expenso ») ; *Marc.* IV, 34, 13 (« eam
itaque regionem sinum dico Abrahae, et si non caelestem,
sublimiorem tamen inferis, interim refrigerium praebere
animabus iustorum, donec consummatio rerum resurrec-
tionem omnium plenitudine mercedis expungat... ») ; etc.
Cf. H. Finé, *Die Terminologie der Jenseitsvorstellungen
bei Tertullian*, Bonn 1958, p. 120 s. ; 168-170. Dans tous
ces passages, il y a l'affirmation constante que le chrétien
ne sera pas libéré par la *prima resurrectio* (celle du *mil-
lennium*), aussi longtemps qu'il n'aura pas payé « jusqu'au
dernier sou » (*Matth.* 5, 26). La punition consiste dans la
mora resurrectionis (voir aussi *Marc.* III, 24, 6 : « post
cuius mille annos, intra quam aetatem concluditur sancto-
rum resurrectio pro meritis maturius uel tardius resurgen-

tium... »). Le « purgatoire » consisterait donc seulement
dans ce retard (ainsi Waszink, Comment. au *De anima*,
p. 591-593). Selon d'autres auteurs (A. d'Alès, *La Théologie de Tertullien*, Paris 1905, p. 133-134 ; Le Saint, *ad
locum*) cette « attente douloureuse » de la Résurrection est
un purgatoire, une « expiation des moindres fautes », tant
il est vrai qu'on parle de « prison » et de la nécessité pour
le défunt de *aliquod pensare penes inferos*. Cette interprétation nous semble convaincante : avec raison Le Saint
conclut que : « this of course is not a complete description
of what we now call Purgatory, but it does contain almost
all of the essential features found in the doctrine as it pro-
posed today ». Un exemple, contemporain de Tertullien,
de description du purgatoire et de l'utilité des prières des
vivants en faveur des âmes du purgatoire se trouve dans
Pass. Perp. 7-8 (sur ce point, cf. F.J. Dölger, *Antike Paral-
lelen zum leidenden Dinocrates in der Passio Perpetuae*,
Antike und Christentum 2, 1930, p. 1-40, p. 16-20) et plus
récemment H. Finé, *o.c.*, p. 171-176, qui, toutefois, n'ac-
cepte pas toutes les analyses de Dölger. La question du
purgatoire chez Tertullien mériterait d'être reconsidérée
dans son ensemble.

11, 1. pro cuius spiritu postulas. Ici *spiritus* a un sens qui
équivaut plus ou moins à *anima* chez les chrétiens, bien que
spiritus constitue, à la rigueur, une faculté spécifique de l'âme
elle-même : cf. *An.* 11, 1 ; G. Esser, *Die Seelenlehre Tertullians*, Paderborn 1893, p. 92 s. — **oblationes.** Dans ce passage, on fait référence à la pratique, assez répandue dans le
christianisme africain, des offrandes que, chaque année, faisaient les fidèles en l'honneur des défunts. Une telle pratique
est attestée chez Tertullien par *Cor.* 3, 3 (« oblationes pro
defunctis, pro nataliciis annua die facimus »). L'offrande qui
était faite chaque année pour les défunts était l'eucharistie,
comme en témoigne l'usage même du terme *offerre*, qui est

spécifique pour l'eucharistie (nous l'avons déjà rencontré plus haut, chapitre 7, 3). Cf. à ce sujet V. Saxer, « Mort, Martyrs, Reliques, etc. », p. 70-73.

11, 2. per sacerdotem. Le terme *sacerdos* peut difficilement être rendu sans ambiguïté dans les langues modernes, où *sacerdos* se distingue de *episcopus*, tandis que dans le latin pré-nicéen cette distinction n'était pas rigoureusement observée. Dans le cas présent, le *sacerdos* doit être *de monogamia ordinatus*. — **uiduis uniuiris.** Allusion aux veuves qu'il était permis au presbytre d'avoir avec lui, selon un usage institué à l'époque apostolique à la suite de la prescription de saint Paul, *I Tim.* 5, 3 et 9. Déjà à l'époque post-apostolique, la condition particulière des veuves avait été un sujet de préoccupation de la part des communautés chrétiennes (qu'on se rappelle, du reste, l'intérêt de nombreux auteurs vétéro-testamentaires pour les veuves et les orphelins), au point qu'elles constituèrent un véritable *ordo uiduarum*. Pour l'époque de Tertullien, cf. K. Adam, *Der Kirchenbegriff Tertullians*, Paderborn 1907, p. 63-65. Ch. Munier observe encore (p. 171) que l'entrée dans l'*ordo uiduarum* n'était pas subordonnée à une véritable *ordinatio*, comme nous l'apprend la *Tradition Apostolique,* 10 (éd. Botte). Quant au terme *uniuira*, il est attesté occasionnellement dans des textes païens (cf. *SHA, Trig. Tyr.* 32, 5), un peu plus fréquemment dans les textes chrétiens ; chez Tertullien, cf. *Vx.* I, 7, 4 ; *Virg.* 9, 3 ; *Mon.* 17, 3 ; *Iei.* 8, 1 ; puis Minuc., *Oct.* 24, 11 ; Jérôme, *Iouin,* I, 11 ; *Epist.* 22, 14 ; Aug., *De bono uiduitatis* XII, 15, *PL* 40, 439. Le terme est au contraire relativement fréquent dans les inscriptions, païennes et chrétiennes, en même temps que son correspondant grec μόνανδρος. La signification du terme oscille, substantiellement, entre deux acceptions, suivant qu'il se trouve dans des inscriptions chrétiennes ou païennes : dans le premier cas (comme aussi du reste dans les textes de Tertullien inspirés de *I Tim.* 5, 9), il désigne la femme qui a eu un seul mari et ne s'est pas remariée après la mort de celui-ci ; en milieu païen, il désigne plus fréquemment la femme qui, n'ayant pas divorcé, a eu un seul mari. Une telle acception souligne, dans le milieu païen, un comportement moral rigoureux et assez rare, étant donné la fréquence avec laquelle on avait recours au divorce. — Cf. à ce propos, J.B. Frey, « La signification des termes μόνανδρος et *uniuira* », *RSR* 20, 1930, p. 48-60 ; B. Kötting, *« Uniuira »* *in Inschriften, Romanitas et Christianitas. Studia I.H. Waszink... oblata.* Amsterdam-London 1973, p. 195-206 ; M. Humbert, *Le remariage à Rome,* Milano 1972, p. 59-75 (nombreux exemples) ; Ch. Munier, *o.c.,* p. 24-25. — **bonae mentis.** Expression qui rappelle la spiritualité de Sénèque. Pour le philosophe de Cordoue, la *bona mens* est la disposition de l'âme, de caractère tout intellectuel, de celui qui est ouvert à la philosophie, et qui a pratiqué et mis en œuvre la sévère règle morale du stoïcisme ; pareillement, pour Tertullien, la *bona mens* — avec transposition en un sens chrétien du concept païen — indique la santé de l'esprit avec laquelle le chrétien affronte la vie, instruit par la *disciplina* chrétienne. — **uxoris castitatem** = *castam uxorem* (cf. Hoppe, *Syntax,* p. 85) [J.-C. F.].

CHAPITRE XII

Les justifications qui sont adoptées pour la défense du second mariage ne sont pas autre chose que des excuses banales, suggérées par des intérêts d'ordre séculier (§ 1-4). Mais le chrétien est bien loin de ces intérêts, parce qu'il est conscient d'être un pèlerin sur la terre et le soldat de quelqu'un qui est plus grand que les empereurs. Et dans le cas où les secondes noces seraient fécondes, serions-nous tentés de recourir à l'avortement ? (§ 5-6)

C'est le thème de l'*infirmitas carnis* qui justifie la sévère condamnation, par Tertullien, de toutes les raisons qui peuvent être retenues en faveur des secondes noces. Une telle condamnation a été prononcée par notre auteur durant toute sa vie, et c'est un témoignage de l'un des aspects les plus radicaux de son caractère, de *Mart.* 4, 1 s. (où le ton est encore beaucoup plus modéré et compréhensif) aux affirmations colériques de *Mon.* 3, 1 (« sed an onerosa monogamia, uiderit adhuc impudens infirmitas carnis... ») ; 14, 6 (« quamdiu causabimur carnem, quia dixit Dominus : 'caro infirma' ? ») Dans les passages du *De monogamia*, la condamnation de la chair est spécifiquement une condamnation de la fornication, à laquelle, comme cela a déjà été dit à plusieurs reprises, Tertullien identifie le second mariage. Les *causationes* retenues ici reprennent celles de *Vx.* I, 4, 2 s. Mais parmi elles, il en est une, la première, qui est assez intéressante (et qui ne se trouve pas, substantiellement, dans l'*Ad uxorem*). C'est l'idée que la femme, grâce à son activité et à l'accomplissement de ses devoirs domestiques, fournit au mari le sou-

tien et l'aide qui sont si précieux dans cette vie : « praetendimus necessitates adminiculorum, domum administrandam, familiam regendam, loculos, claues custodiendas,
lanificium dispensandum, uictum procurandum, curas
comminuendas ». Il est évident que cette évocation de la
femme chrétienne est esquissée selon les couleurs de la
femme romaine : il suffit pour s'en assurer de l'allusion au
lanificium, qui constituait dès l'époque archaïque (que
l'on pense à la description de Lucrèce en Tite-Live I,
57-59), l'activité spécifique de la *matrona*. On peut lire
une description plus précise dans P. Grimal, *La femme à
Rome. Histoire mondiale de la femme*, Paris I, 1965,
p. 375-405 ; H. Leclercq, « Femme », *DACL* V,
1300-1353. K. Thraede (art. « Frau », *RLAC* VIII, 197 s.)
remarque que la religion chrétienne et la morale ecclésiastique ont rétabli l'ancienne image de la femme soumise à
son mari et restauré une situation juridique dépassée alors
dans la société romaine de l'époque impériale (col.
239 s.). Sans doute K. Thraede a-t-il raison quand il fait
remarquer que le christianisme orthodoxe, a fortiori
quand il était pénétré de l'idéal ascétique, a vivement critiqué le luxe, la parure, la mode, et que cette attitude était
dépassée, si on la compare aux tendances de la société de
l'époque. De même, il est exact que le christianisme a
rétabli certaines formes archaïques du droit romain en ce
qui concerne la soumission de la femme à son mari. Mais
K. Thraede a tort, croyons-nous, quand il fait abstraction
de l'esprit (bien différent de l'esprit légaliste du droit
romain) dans lequel les moralistes chrétiens ont défini les
tâches de l'épouse dans la société chrétienne. La description même de Tertullien dans ce passage n'a rien d'op-
pressif ni d'arriéré, comme K. Thraede veut le montrer
avec une sensibilité trop grande à la problématique
moderne. Au demeurant, l'émancipation de la femme
païenne, par opposition à l'archaïsme des positions
affirmées par le christianisme, était-elle vraiment un
phénomène social de grande ampleur ou bien était-elle

limitée à quelques cas isolés, à quelques femmes de condition sociale élevée ?

12, 1. causationibus. Le terme *causatio* (correspondant à *prophasis*) apparaît dans l'*Itala* et chez Tertullien. La leçon *excusationibus* du *Corpus Cluniacense* représente sans doute une banalisation de la leçon authentique. — **domum administrandam... comminuendas.** Effet de parallélisme. Cette longue énumération, soulignée par la rime, comporte une intention parodique. — **res spadonum.** Il faut peut-être entendre ici « eunuques » dans un sens spirituel, comme les eunuques auxquels font allusion les paroles de *Matth.* 19, 12. — **fortunae militum.** Ce passage de Tertullien constitue-t-il un témoignage du fait que les soldats avaient la permission, au temps de Septime Sévère, de se marier ou non ? La question est controversée et n'a pas reçu, même récemment, une réponse univoque. Ainsi, selon P. Garnsey (*Septimius Seuerus and the Marriage of Soldiers*, California Studies III, 1970, p. 45-53), les témoignages juridiques et épigraphiques nous conduiraient à croire qu'il n'y a pas eu de changements au plan juridique, par rapport à l'époque précédente, en ce qui regarde la possibilité pour les soldats de contracter mariage. Cela restait, comme le montre ce passage, prohibé par la loi, mais toléré de fait. Plus récemment encore, cependant, B. Campbell, « The Marriage of Soldiers under the Empire », *JRS* LXVIII, 1978, p. 153-166, est revenu sur la question pour aboutir à une conclusion opposée. Campbell énumère une série d'améliorations de la condition des soldats qui allégeaient la discipline trop sévère voulue par les premiers empereurs, sans pourtant que fût éliminée l'interdiction de se marier. Ce fut Septime Sévère qui réalisa le changement radical, étant donné sa sympathie pour l'armée : ceci est attesté par des textes juridiques et des rescrits impériaux. Du reste, le recrutement des légions provenait désormais des lieux mêmes où les légions stationnaient. Si, dans ce passage, Tertullien classe les soldats parmi les célibataires, c'est que, ou bien il n'a pas connu les mesures prises par Septime Sévère, dont parle Hérodien III, 8, 4-5, ou bien par goût de la polémique il peut les avoir volontairement passés sous silence. La question, comme on le voit, est encore *sub iudice*. — **Non enim nos et milites sumus ?** Cette leçon de *A* est une *lectio difficilior* en raison de la disposition des mots (scl. = *et nos milites sumus*) ; cf. Löfstedt, *Zur Sprache Tertullians*, p. 48. Tertullien affirme ici sa conviction, plusieurs fois répétée (et inspirée de *Éphés.* 6, 10-18 ; *I Thess.* 5, 8 ; *II Cor.* 6, 7 ; *Rom.* 6, 13 ; 13, 12) : le chrétien est *miles Christi* (cf. aussi *Cor.* 1, 3 ; 15, 3, etc.). Sur ce raisonnement on peut lire également la monographie classique de A. von Harnack (*Militia Christi. Die christliche Religion und der Soldatenstand in den ersten drei Jahrhunderten*, Tübingen 1905) et le dossier des textes contenus dans l'ouvrage. — **peregrinantes.** C'est un écho de *II Cor.* 5, 6 ; *Hebr.* 11, 13 ; *I Pierre* 2, 11. Et Tertullien lui-même répète ailleurs en *Cor.* 13, 4 : « sed tu, peregrinus mundi huius et ciuis ciuitatis supernae Hierusalem... ».— **non possis.** Le verbe *posse* est ici employé de façon absolue (« ne pas pouvoir avoir d'effet »), selon un usage fréquent chez Tertullien. Cf. *Apol.* 13, 2 : « ...praelatio alterius sine alterius contumelia non potest » ; *Fug.* 2, 1 : « ...quatenus nec persecutio potest sine iniquitate diaboli nec probatio fidei sine persecutione ». D'autres exemples chez Tertullien et dans le latin tardif dans H. Hoppe, *Syntax*, p. 144 ; E. Löfstedt, *Kritische Bemerkungen zu Tertullians Apologeticum*, Lund-Leipzig, 1918, p. 89-91.

12, 2. aliquam uxorem spiritalem. C'est une expression dont la signification est controversée. Selon H. Achelis (*Virgines subintroductae. Ein Beitrag zu 1. Kor. VII*, Leipzig 1902 ; art. « Subintroductae », dans *Realenc. für Protestantische Theologie und Kirche* 19, Leipzig 1907, p. 123-127),

ce passage constituerait une attestation de l'usage répandu
surtout au cours du IIe et du IIIe siècles après J.-C., du
mariage spirituel, qui, inauguré à l'âge post-apostolique,
aurait ensuite dégénéré au point de provoquer des condamna-
tions répétées de la part des conciles qui suivront celui
d'Antioche de 267-268 (une liste de ceux-ci est donnée dans
le travail de synthèse de P. de Labriolle, « Le mariage spirituel dans l'antiquité chrétienne », *RH* 46, 1921, p. 204-225, et
surtout p. 222). Mais, selon P. de Labriolle, au contraire, une
allusion à cette pratique est à exclure dans le texte que nous
avons sous les yeux, car l'expression indique d'une manière
générale une gouvernante de maison, comme dans *Mon.* 16,
3 ; c'est avec des expressions très différentes d'ailleurs que
Tertullien condamne la pratique de l'épouse spirituelle dans
Iei. 17, 3 : « sed maioris est agape, quia per hanc adu-
lescentes tui cum sororibus dormiunt » (p. 210-211). Cependant, je serais porté à croire que dans le *De exhortatione castitatis* il est strictement question de l'*uxor spiritalis*. D'une
part, l'expression employée est trop spécifique pour que l'on
puisse penser à une gouvernante en général. En second lieu,
si dans le *De ieiunio*, Tertullien reproche aux psychiques
l'impudicité d'avoir avec eux des épouses spirituelles, qui ne
sont autres que des concubines, il n'est pas étonnant que le
Carthaginois, encore 'semimontaniste' (comme on a coutume de dire) dans le *De exhortatione castitatis*, suggère et
recommande une telle pratique, qu'ensuite il a condamnée
dans le *De ieiunio*, œuvre montaniste. — **fide pulchram...
signatam.** Parallélisme et homéotéleute. Le passage reprend
le précédent (*Vx.* I, 4, 4). — **aetate signatam.** Le sens du
verbe *signare* est ici incertain ; Hoppe (*Syntax*, p. 134-135)
pense que celui-ci, comme le verbe composé, plus fréquent
obsignare, devrait signifier « rendre parfait » (D'où Le Saint :
« whose age is her adornment ». — **haberi :** le passage
parallèle de *Mon.* 16, 3 (« non unam generis huius uxorem,
sed etiam plures habere concessum est ») invite à donner ici à

haberi son sens fort (m. à m. : « Le fait que de telles épouses soient possédées... »). Peut-être faut-il lire *habere* (« le fait d'avoir de telles épouses... ») ? [J.C. F.]

12, 3. quibus crastinum non est. Cette affirmation me semble l'écho d'une situation de précarité et d'incertitude, la situation dans laquelle vivent les communautés chrétiennes de Carthage, toujours exposées à la possibilité d'une persécution. La persécution de Scapula est peut-être de quelques années postérieure au *De exhortatione castitatis* ; elle pouvait cependant être redoutée comme imminente. — **de saeculo exhereditauit.** Le verbe est toujours employé avec le sens d'éloignement : + *ab* dans Irén., *A du. Haer.* III, 21, 1, *SC* 211, p. 400. — **de pristino.** C'est là un autre sens de *de* dans la prose tertullianéenne : ici *de* = *ex*, cf. Hoppe, *Syntax*, p. 38. — **persecutionibus... communicationibus... acquisitionibus.** La recherche de la rime a poussé l'écrivain à employer après *persecutionibus* deux mots abstraits qui sont fréquents surtout dans la langue des chrétiens. — **qui illi parentent.** Ironique, car la cérémonie de la *parentatio* était une cérémonie typiquement païenne (cf. *Vx.* I, 6, 1 ; *Res.* 1, 2) : autant dire que les fils de ceux qui se marient deux fois s'éloigneront toujours davantage de la *disciplina christiana*, déjà abandonnée par leurs pères, jusqu'à devenir totalement païens. Saxer, *o.c.*, p. 48-49, fait sienne cette interprétation.

12, 4. huiusmodi. Avec l'ellipse de *res*, comme plus haut (1, 1). — **rei publicae prospectu.** Dans ces paroles et dans les phrases qui suivent résonne l'écho des accusations dont les chrétiens sont l'objet de la part des païens, en particulier celle de se désintéresser des problèmes de l'État et de la société : cf. *Apol.* 30, 1 ; 30, 4 ; 32-33, où Tertullien réplique que les chrétiens s'intéressent effectivement et plus que les païens au bien de l'Empereur. — **ne ciuitates deficiant.** Témoignage du côté chrétien de l'appauvrissement démographique au IIIe siècle après J.-C. : et il est significatif que ce qui fut l'un des principaux problèmes du déclin de l'Empire romain ait suscité chez Tertullien un tel désintérêt, significatif, veux-je dire, de la mentalité de l'écrivain et de ceux à qui il s'adressait. La bibliographie sur le sujet est assez vaste : citons seulement (avec l'ouvrage classique de M. Rostovzeff, *Storia economica et sociale dell'Impero Romano*, Florence 1952) : P. Petit, *La paix romaine*, Paris 1967, p. 256 s. ; P. Salmon, *Population et dépopulation dans l'Empire Romain*, Bruxelles 1974. — **Christianis leonem.** Le cri typique des masses païennes : cf. *Apol.* 40, 2 ; Cyprien aussi entendra ces cris, *Epist.* 59, 6 : « episcopus... totiens ad leonem petitus... »). – **haec enim audire desiderant...** Conclusion absurde, car les fils des chrétiens auraient été logiquement chrétiens.

12, 5. importunitas liberorum. Cette attitude, qui est si peu conforme à l'éthique chrétienne, apparaît seulement dans les œuvres contre le mariage (cf. aussi *Vx.* I, 5, 1-2). Ce qui pourrait être une exagération polémique, due au désir d'avoir raison à tout prix, comme plus haut (9, 3-4) où l'écrivain comparait le mariage au *stuprum* ; en effet, cela contraste avec ce que Tertullien affirme ailleurs (*Marc.* I, 29, 7 ; IV, 23, 7 ; *Carn.* 4, 2). — **legibus compelluntur.** Souvenir livresque de la législation d'Auguste tombée en désuétude au IIIᵉ siècle (cf. déjà *Apol.* 4, 8). C'était la *lex Iulia de maritandis ordinibus* (18 avant J.C.) qui déclarait illégal le testament en faveur d'un célibataire de plus de 25 ans ou d'une jeune fille nubile de plus de 20 ans ; et la *lex Papia* (9 après J.C.), qui ne permettait pas au conjoint survivant, dans le cas où il était *orbus*, d'hériter du conjoint défunt la totalité des biens. — **nouam.** Il me semble que le texte doit être conservé tel qu'il est. La correction *nolens*, appuyée sur *uolens* du *Corpus Cluniacense* (Ciaconius et Kroymann ; « in spite of this reluctance of yours », Le Saint), me semble inacceptable, parce que contredite par *de tua conscientia* (que Le Saint ne traduit pas). — **impleueris.** Terme de type populaire pour *grauidam facere*, sporadiquement utilisé déjà à partir d'Ovide, *Ars.* I, 325 ; *Fast.* V, 617 (cf. *TLL*). — **dissoluas medicaminibus conceptum.** C'est la pratique de l'avortement au moyen de drogues, à laquelle fait allusion Minuc., *Oct.* 30, 2 (« sunt quae in ipsis uisceribus medicaminibus epotis originem futuri hominis extinguant »). Une plus ample discussion sur ce problème est présentée par Tertullien lui-même, *An.* 25 ; cf. aussi F.-J. Dölger, *Antike und Christentum* IV, Münster 1934, p. 32-37 ; J.H. Waszink, art. « Abtreibung », *RLAC* I, 1950, p. 59-60. — **magis non licere.** Leçon de l'*Agobardinus*, défendue (car elle conserve une *collocatio uerborum* typique de Tertullien) par Löfstedt, *Zur Sprache Tertullians*, p. 48. Löfstedt renvoie au passage parallèle, un peu plus haut : « non enim nos et milites sumus ? (= et nos milites sumus ?) ». Cependant, on pourrait encore comprendre que Tertullien veut dire simplement que tuer celui qui doit naître est encore plus grave que tuer celui qui est né. La condamnation de l'avortement se trouve encore dans *Apol.* 9, 8. — **illo tempore praegnantis uxoris.** Kroymann cite la locution analogue de *An.* 1, 2 : « opportuno in tempore magistri ».

12, 6. frigidioris aetatis. Le terme *frigidus* est attesté aussi dans la poésie érotique (cf. Virg., *Georg.* III, 97 ; Ov., *Am.* II, 1, 5 ; II, 7, 9 ; *Rem.* 492 etc.). Pour l'alliance *frigida aetas*, cf. Val.-Max. III, 5, 3 : *frigida iuuenta.* — **fideliter.** Avec la signification de *in fide Dei*, cet adverbe est assez rare. Ce serait la première attestation. Ensuite, Rufin et Augustin (*De ciuitate Dei*, I, 9, 1 *BA* 33, p. 214). — **sterilem aut anum enixam.** Un souvenir des vicissitudes de Sara, d'Anne et d'Élisabeth, comme le souligne à juste titre Le Saint. — **tam... quam et,** etc. L'usage de *et* dans ces corrélations, apparemment superflu, est typique de Tertullien, comme l'a observé Thörnell, *Studia Tertullianea* II, Uppsala 1920, p. 74.

CHAPITRE XIII

Les exemples de continence païenne (sûrement inspirée par le démon, par envie et haine des chrétiens) doivent nous inciter à renoncer à ces secondes noces, qui nous éloignent du paradis et qui *ab initio*, dans le paradis, n'existaient pas.

La valeur de l'exemple a toujours été reconnue par l'éthique romaine, dès l'époque classique : pour des écrivains comme Cicéron et comme Tite-Live (cf. surtout la *praefatio* de ce dernier à ses œuvres), les *exempla maiorum* avaient une fonction pédagogique de la plus grande importance. Tertullien ne peut avoir recours aux exemples de sa religion, dont l'histoire était encore à ses débuts à l'époque où il écrivait ; il doit par force recourir à des exemples païens, les dépouillant cependant de toute valeur intrinsèque : la vertu païenne n'est pas une vraie vertu, elle est seulement *aemulatio* du diable : cf. *Spect.* 21, 1 (« ethnici, quos penes nulla est ueritatis plenitudo, quia nec doctor ueritatis Deus, malum et bonum pro arbitrio et libidine interpretantur ») ; *Cult.* II, 1, 2-3 (« ...feminae nationum, a quibus abest conscientia uerae pudicitiae, quia nihil uerum in his, qui deum nesciunt praesidem et magistrum ueritatis. Nam et si qua in gentilibus pudicitia credi potest, usque adeo eam imperfectam et inconditam constat... »).

Cependant, ce n'est pas seulement faute d'exemples tirés de l'histoire chrétienne, relatifs à la vertu de la continence, que Tertullien fait allusion aux fameux exemples des personnages païens (cela est si vrai qu'à la fin du chapitre on rappellera aussi que beaucoup de chrétiens et de chrétiennes ont donné un exemple parfait de continence). H. Pétré (*L'exemplum chez Tertullien*, Dijon 1940, p. 67-71) a observé que l'utilisation de l'exemple païen correspond, pour un chrétien, à l'utilisation de l'exemple étranger pour un païen : la rhétorique distinguait, en effet, les *exempla domestica* des *exempla externa*. Un témoignage de cette façon d'utiliser les *exempla* tirés des peuples étrangers, parce qu'ils servaient à plus forte raison à confirmer ce que doivent faire les nationaux, se trouve dans Cicéron, *Pro Sestio*, 141. Il était donc naturel, selon H. Pétré, que le rhéteur Tertullien fît allusion aux païens, ceux-ci étant comme des « étrangers » pour les chrétiens (cf. *Idol.* 14, 6 où les *ethnici* sont dits *extranei* : quoiqu'il en soit, le mot *ethnicus* désignait déjà l'« étranger » à la religion chrétienne). Un cas analogue se rencontre selon H. Pétré dans *Virg.* 11, 4 : « atquin etiam apud ethnicos uelatae ad uirum ducuntur ». Des exemples de continence païenne, placés en conclusion du traité dans un dessein parénétique évident, se trouvent aussi dans *Vx.* I, 6 ; II, 8, 1-2 et *Mon.* 16 ; mais déjà au début de l'activité littéraire de Tertullien dans *Mart.* 4, 3-6, où il recourt comme ici à l'exemple de Didon. Jérôme, comme toujours à cet égard, dépendra de Tertullien même pour le choix des exemples (cf. *Epist.* 123, 7).

13, 1. extraneis. Les païens, comme on l'a vu plus haut, ou bien également les hérétiques, comme en *Bapt.* 15, 2. — **ethnicos.** Terme typique du christianisme et de Tertullien en particulier. Comme l'a observé Löfstedt (*Syntactica*, Lund 1933, II, p. 464 s.) le terme (qui est un hellénisme correspondant à *gentilis*) appartient à la sphère sémantique selon laquelle les *gentes* étaient les peuples barbares opposés au peuple romain : à l'ère chrétienne, par adaptation du sens au domaine de la religion, le mot désigne la population païenne opposée aux chrétiens. Déjà dans les Septante, du reste, ἔθνη désignait les peuples païens opposés au peuple hébreu. — **uniuira pronuba.** Pour cette coutume, cf. Serv., *ad Aen.* IV, 166 : « Varro pronubam dicit quae ante nupsit et quae uni tantum nupta est ideoque auspices deliguntur ad nuptias » ; Fest., p. 283, 15, Lindsay : « pronubae adhibentur nuptis, quae semel nupserunt, causa auspicii, ut singulare perseueret matrimonium ». La nécessité pour la femme d'avoir été *uni uiro nupta* était encore présente dans le culte de Pudicitia Plebeia, devant l'autel de laquelle pouvait sacrifier seulement une matrone d'une vertu exemplaire et non divorcée (cf. Liv. X, 23). — **Flaminica.** C'était l'épouse du *flamen Dialis*, prêtresse de Junon ; elle devait être *uniuira*, de la même façon que le *flamen* ne pouvait se remarier qu'après la mort de la *flaminica.* Cf. à ce propos, G. Wissowa, *Religion und Kultus der Römer*, München 1912, p. 506, n. 4 (attestations anciennes de cette prescription dans Aulu-Gelle, X, 15, 23 ; Serv. *ad Aen.* IV, 29) ; E. Fehrle, *Die kultische Keuschheit im Altertum, Religionsgeschichtliche Versuche und Vorarbeiten,* VI, Giessen 1910, p. 108, et la note. En ce qui concerne la même obligation imposée au Pontifex Maximus, cf. G. Wissowa, *o.c.*, p. 508 s. Le Pontifex Maximus, du reste, avait des devoirs et des obligations qui le portaient à s'occuper strictement du culte de Vesta, cf. Fehrle, *o.c.*, p. 215 s. Il n'est pas inutile non plus de rappeler que Servius (*ad Aen.* IV, 19) affirme que selon un antique rite : « repellebantur a sacerdotio id est fortunam muliebrem non coronabant bis nuptae ».

13, 2. Dei sacramenta satanas affectat. Non seulement les vertus sont imitées par la puissance du mal (et en ce cas, elles n'ont manifestement aucune valeur : cf. peu après § 3 : *inuenit... castitatem perditricem*), mais les mystères divins sont purement et simplement imités par le démon dans le dessein d'attirer les fidèles et de les détourner de la vraie religion. Un cas typique est celui des mystères de Mithra, dont le culte était particulièrement répandu à l'époque de Tertullien et qui est fort bien décrit par lui-même dans *Cor.* 15, 4. Cf. aussi *Prax.* 1, 1 : « uarie diabolus aemulatus est ueritatem. Adfectauit illam aliquando defendendo concutere » ; J. Fontaine, *Tertullien, De Corona,* p. 182 ; « Sur un titre de Satan chez Tertullien : *Diabolus interpolator* », *SMSR* 38, 1967, p. 197-216. L'argumentation sur la chasteté a son parallèle dans *Vx.* I, 6, 6 et 7, 5. — **suffusio.** Devrait signifier « honte », une attestation non mentionnée ailleurs sinon peut-être par *Vulg.* IV Rois 8, 11 comme me le suggère P. Petitmengin (*ad effusionem uultus*) ; chez Tertullien cependant on rencontre l'emploi, typique de l'écrivain carthaginois, de *suffundere* avec le sens de « faire rougir » (cf. *supra,* chap. 10, 3) ; *Marc.* V, 1, 4 : « ut iam hinc et fidem tuam obtundam... et impudentiam suffundam » ; *Apol.* 37, 6 : ...« suffudisset utique dominationem uestram tot qualiumcumque ciuium amissio ». Ailleurs cependant le terme signifie « fusion » (Waszink), cf. *An.* 36, 4 : « utriusque autem substantiae indiscreta semina et unita suffusio eorum... ». — **uirgines Vestae.** La chasteté des vierges vestales était célèbre et elle est souvent attestée ; cf. aussi Fehrle, *o.c.,* p. 210-221. — **Achaiae oppidum.** Le culte d'Héra à Aegium, omis ici pour les exigences rhétoriques de la prétérition (rappelé au contraire dans *Vx.* I, 6, 4). Le Saint cite le témoignage de Paus. VII, 23 à propos de ce culte, qui semble cependant avoir été un culte d'importance secondaire. Mais Tertullien l'a nommé parce qu'il était utile à son propos. Une pratique analogue de pudeur était exigée pour le culte de Junon à Faleries et d'Héra à Argos, comme on le voit par Den. Hal., *Ant. Rom.* I, 21. — **Apollinis.** La chasteté de la Pythie, prêtresse d'Apollon à Delphes, était exigée pour la raison que celle-ci était considérée comme l'épouse d'Apollon (cf. Plut. *De def. orac.,* 51). D'une manière analogue était exigée la chasteté absolue de la prêtresse d'Apollon à Patare et à Larisse en Argolide (cf. Fehrle, *o.c.,* p. 7-8). — **quibusdam locis.** Le développement, ici, est obscur, probablement parce que Tertullien est mal informé. On peut faire allusion au culte de Diane sur l'Aventin où les hommes ne pouvaient pas être présents ; pour la pudeur qui prévaut dans le culte de Diane Aricina, cf. Stace, *Silves* III, 1, 59 : « (Dianae) ...omnisque pudicis/Itala terra focis Hecateidas excolit Idus ». Nous savons par Plutarque (*Quaest. Rom.* 3) que dans le passage Patricius à Rome se trouvait un petit temple de Diane, d'où les hommes étaient exclus. Plus communément attestée est l'exigence de la pudeur dans le culte des divinités correspondantes grecques, Athéna et Artémis (cf. Fehrle, *o.c.*, p. 98-103 ; 116-121). Quoiqu'il en soit, même dans le milieu romain, on peut rappeler que Catulle 34, 2 parle de *puellae et pueri integri* entonnant un hymne à Diane. — **tauri illius Aegyptii.** Le fameux bœuf Apis. Les prêtres égyptiens furent célèbres durant toute l'ère impériale pour leur continence et leur austérité. — **Cereri** est une *lectio difficilior* par rapport à *Cereris* de *FX R* Kroymann, et elle est défendue avec de bonnes raisons par G. Thörnell, *Studia Tertullianea* II, p. 45, n. 1. Sur le culte de Cérès africaine, cf. *Vx.* I, 6, 4 et *Mon.* 17, 3. Celle-ci est identifiée, en Afrique, avec la déesse Isis, comme le soutiennent beaucoup de savants, et son culte était considéré comme le culte de la pudeur par excellence. Cf. C. Munier, *o.c.*, p. 169, qui cite de nombreuses attestations à ce sujet. Selon Fehrle, cependant, il n'est pas nécessaire de penser à une identification de Cérès avec Isis, étant donné qu'ailleurs Tertullien montre qu'il connaît Isis comme une déesse indépendante. — **abdicato matrimonio.** *Abdicato* est un autre exemple de cette outrance d'expression qui est typique de Tertullien. Cf. l'expression *amica separatione*, analogue par son acuité sententieuse, dans *Mon.* 17, 3. — **perditricem.** Néologisme de Tertullien, forgé pour obtenir la rime avec *conseruatricem* : bien qu'il soit peu utilisé (avant Tertullien les uniques attestations semblent être celles de Cic. *Fin.* IV, 16 et Apul., *Plat.* I, 12), ce terme avait cependant l'avantage d'être favorisé par l'existence de *conseruator*. L'antithèse s'étend à toute la

phrase (*inuenit...* *recusauerit*) et elle n'est pas limitée seulement à la dernière opposition (*perditricem...* *conseruatricem*).

13, 3. uniuiratus. Employé dans *Vx.* I, 8, 5, semble un
hapax de Tertullien. Cf. Hoppe, *Beiträge*, p. 140. — **obstina-**
tionem. Ce terme caractérise les chrétiens qui refusaient
d'abandonner leur foi (cf. les attestations d'origine païenne
dans Plin., *Epist.* X, 96, 3 ; et dans Tertullien lui-même : *Nat.*
I, 17 et 19 ; *Apol.* 2, 6 ; 27, 2 ; 27, 7 ; *Spect.* 1, 5). Comme
dans ces passages de Tertullien, *obstinatio* prend ici aussi
une connotation positive. — **aliqua Dido.** L'indéfini *aliqua*
souligne le nom auquel il est accordé ; sur l'usage de *aliquis*
en ce sens, cf. Hoppe, *Syntax*, p. 105. Rapporté encore à
Didon, dans *Apol.* 50, 5. Il est connu que la saga de Didon
n'existait pas seulement dans la version que lui a donnée
Virgile ; nous savons par Serv., *ad Aen.* IV, 682, que :
« Varro ait non Didonem, sed Annam amore Aeneae impul-
sam se supra rogum interemisse » ; d'autres détails sur ce
mythe dans R. Heinze, *Vergils epische Technik,* Leipzig
1915, p. 115 s. Pour ce qui concerne la défense de la pudeur
de Didon, que Tertullien souligne ici (cf. encore *Mart.* 4, 5 ;
Apol. 50, 5 ; *Nat.* I, 18, 3), on a des raisons de croire que la
culture africaine était unanime à revaloriser la continence de
l'héroïne locale, par opposition à la version plus commune
répandue par Virgile (cf. C. Pascal, « Didone nella letteratura
latina d'Africa », *Athenaeum*, 1917, p. 285-293). De même
Augustin (*Conf.* I, 13, 22) nie la véracité du récit virgilien.
Mais même hors d'Afrique, des voix s'élevèrent pour mani-
fester leur désaccord avec la version de Virgile, par exemple
Macrobe, *Sat.* V, 17, 6, selon lequel tous sont « omnes
Phoenissae castitatis conscii, nec ignari manum sibi iniecisse
reginam, ne pateretur damnum pudoris... ». Le passage a été
imité par Jérôme, *Epist.* 123, 7. — **alium uirum passa est.** Le
recours à *uir* préféré à l'abstrait *stuprum*, qui aurait dû être

normalement utilisé, s'explique par la manière de composer de Tertullien. Cf. également *Apol.* 21, 8 : « deum patrem passus est squamatum ». — **Facilius animam.** '*sententia*' avec valeur démonstrative, placée à la fin du raisonnement. Sur l'exigence de la chasteté pour les veuves, cf. aussi *Vx.* I, 6, 2 ; 8, 2 ; Cypr., *De b. pat.* 20 ; Jérôme, *Epist.* 123, 10 (il n'est pas exclu que Cyprien et Jérôme se soient inspirés de Tertullien lui-même). — **Facilius animam ponas... quam uiuendo serues ob quod... :** l'obscurité de l'expression est due : d'une part, à la fausse opposition *animam ponas-serues*, quand on attendrait *Facilius animam ponas... quam uiuas seruando...* ; d'autre part, à la concision du tour *(id) ob quod*, désignant à la fois « ce bien » (= la chasteté) et la « perte de ce bien ». Comprendre : il est difficile de vivre en conservant ce bien et dont la perte (m. à m. « à cause [de la perte] duquel ») fait qu'on préfère mourir ». [J.-C. F.]

13, 4. quanti... quantae. *Tanti* et *quanti* ont remplacé *tot* et *quot* dans le latin tardif ; cf. Leumann, Hofmann, Szantyr, *Syntax*, p. 206-207 ; H. Hoppe, *Syntax*, p. 106. — **de continentia censentur.** Sur la signification typiquement tertullianéenne de *censeo*, cf. ce qui a été dit plus haut (chap. 5, 4). — **deo nubere.** Image typiquement chrétienne pour désigner la virginité. Cette expression reprend celle de *Vx.* I, 4, 4 (voir à ce sujet C. Munier, p. 163) ; *Virg.* 16, 4 ; *Orat.* 22, 9 : *nupsisti enim Christo* (cela est dit de toutes les femmes, y compris les femmes mariées) ; *Res.* 61, 6 : *uirgines Christi maritae.* Ailleurs Tertullien forge l'expression *Deo nota*, pour indiquer que la virginité est réservée seulement au mariage spirituel avec Dieu : cf. *Virg.* 15, 2. En *Virg.* 3, 2, il oppose les *uirgines hominum* aux *uirgines Dei.* On lira les observations de J. Koch (*Virgines Christi.* « Die Gelübde der gottgeweihten Jungfrauen in der ersten drei Jahrhunderten », *TU* 31, 3 (1907), p. 65-76), qui souligne l'existence d'un véritable *ordo* des vierges. — **carnis suae honorem.** C'est-à-dire qu'elles rétablissent la *corporalis integritas* (comme il est dit dans *Pud.* 5, 2), détruite par le mariage. — **illius aeui filios.** Cf. *Lc* 20, 34-35. — **paradisum.** Comme synonyme de *caelum* est d'un usage constant dans le christianisme ; cf. Ch. Mohrmann, *Die altchristliche Sondersprache in den Sermones des hl Augustin,* Nijmegen 1932, p. 132. Le mot *paradisus* cependant, ne comprend pas, en soi, l'idée de paradis mais l'idée de paradis terrestre. Pour le concept auquel se réfère Tertullien, cf. *Mon.* 5 (où le retour de l'homme à la perfection initiale du Paradis est insérée dans une doctrine plus ample : celle de la *recapitulatio* de toutes choses dans le Christ).

INDEX

Les chiffres renvoient aux pages. Sont imprimés en caractères gras
les chiffres correspondant aux pages du *texte* de Tertullien.

I. — INDEX SCRIPTURAIRE

II. – INDEX DES ŒUVRES
DE TERTULLIEN

III. — INDEX DES AUTEURS ANCIENS

IV. — INDEX ANALYTIQUE

TABLE DES MATIÈRES

SOURCES CHRÉTIENNES

Fondateurs : H. de Lubac, s.j.,
† J. Daniélou, s.j.,
C. Mondésert, s.j.
Directeur : D. Bertrand, s.j.
Directeur-adjoint : J.-N. Guinot

(1-319)

Dans la liste qui suit, dite « liste alphabétique », tous les ouvrages sont rangés par nom d'auteur ancien, les numéros précisant pour chacun l'ordre de parution depuis le début de la collection. Pour une information plus complète, on peut se procurer deux autres listes au secrétariat de « Sources Chrétiennes » — 29, rue du Plat 69002 Lyon (France) — Tél. : 16 (7) 837.27.08 :

1. — la « liste numérique », qui présente les volumes et leurs auteurs actuels d'après les dates de publication ; elle indique les réimpressions et les ouvrages momentanément épuisés ou dont la réédition est préparée.

2. — la « liste thématique », qui présente les volumes d'après les centres d'intérêt et les genres littéraires : exégèse, dogme, histoire, correspondance, apologétique, etc.

HORS SÉRIE

Directives pour la préparation des manuscrits (de « Sources Chrétiennes »). A demander au Secrétariat de « Sources Chrétiennes », 29, rue du Plat, 69002 Lyon.

La Règle de S. Benoît. VII. Commentaire doctrinal et spirituel. A. de Vogüé (1977)

SOUS PRESSE

Les Constitutions apostoliques, tome I. M. Metzger.
ISAAC DE L'ÉTOILE : **Sermons, tome III.** G. Raciti.
CYRILLE D'ALEXANDRIE : **Contre Julien.** H. Burguière et P. Évieux.
PALLADIOS : **Vie de S. Jean Chrysostome.** 2 tomes. A.-M. Malingrey.
GUILLAUME DE SAINT-THIERRY : **Oraisons méditatives.** J. Hourlier.
ORIGÈNE : **Homélies sur l'Exode.** M. Borret.
EUSÈBE DE CÉSARÉE : **Préparation évangélique,** Livres XIV-XV. E. des Places.
JÉRÔME : **Sur Jonas,** Y.-M. Duval.

PROCHAINES PUBLICATIONS

GRÉGOIRE LE GRAND : **Homélies sur Ézéchiel,** tome I. P. Morel.
GRÉGOIRE DE NAZIANZE : **Discours 38-41.** P. Gallay et C. Moreschini.
Les Constitutions apostoliques, tome II. M. Metzger.
CÉSAIRE D'ARLES : **Œuvres monastiques.** I. A. de Vogüé et J. Courreau.
LACTANCE : **Institutions divines,** tome I. P. Monat.
TERTULLIEN : **Des Spectacles.** M. Turcan.
JEAN CHRYSOSTOME : **Sur Babylas.** M. Schatkin.
GERTRUDE D'HELFTA : **Œuvres,** tome V. J.-M. Clément, B. de Vregille et les Moniales de Wisques.

LES ŒUVRES DE PHILON D'ALEXANDRIE
publiées sous la direction de
R. ARNALDEZ, C. MONDÉSERT, J. POUILLOUX.

Texte grec et traduction française.

Imprimerie de l'Indépendant
53200 Château-Gontier

N° Éditeur : 8061

Dépôt légal : 2ᵉ trimestre 1985